Useful English Expressions for Effective Meetings

英語でミーティング
そのまま使える表現集

藤井正嗣 ● FUJII Masatsugu
野村るり子 ● NOMURA Ruriko

日興企画

別売・CD版
英語でミーティング
そのまま使える表現集

監修／藤井正嗣、野村るり子
収録時間／約70分
価格／税込2520円

**耳から学んで
ミーティング英語の
基本表現を
完全マスター!**

本書をより効果的に活用していただくために別売のCDをご用意致しました。ビジネス・ステージで通用する英語表現の習得に、是非お役立て下さい。

- ミーティングでよく使われる次の英文例を収録
    - ●第1部:ファシリテーターの表現(補章除く) ●第2部:パティシパントの表現(補章含む)
    - ●第3部:補章―英語で困った時に便利な表現
- 聴きたい箇所がすぐに引き出せる、小見出しごとに細かく設けた頭出し機能
- ネイティブ・スピーカーによる聞き取りやすい自然な英語

●ご注文方法
このCDは、全国の主要書店で取り扱っております。
店頭に在庫のない場合には、直接小社までハガキまたは電話、ファックス、E-メールにてお申し付けください。
※送料＝国内はサービス、海外は実費となります。

まえがき

　「経済のない一日はない」という経済紙の PR コピーがありますが，これを本書のねらいに沿って転用させていただくなら，「ミーティングのない一日はない」ということになるのではないでしょうか。私の30年にわたるビジネス人生を振り返っても，社内外・国内外のさまざまな相手とのさまざまな舞台でのミーティングの連続でした。この４月から籍を置いている大学でも，教授会をはじめ各種委員会等のミーティングが日々，開催されます。

　さて，本書は「英語でミーティング」と題されていますが，この一冊の本が読者のみなさんにとってどういう意味をもつのかについて，まず考えてみたいと思います。

◆ミーティングのない人生はない

　最初に述べたとおり，まず人生そのものがミーティングの連続だということです。これは何もビジネス・パーソンに限ったことではなく，ありとあらゆる人たちが毎日いろいろなテーマでミーティングを行なっているのです。

　考えてみれば，これはきわめて当然のことで，ビジネスであれ，アカデミックな世界であれ，一人でできることにはおのずと限界があります。やろうとしていることのスケールが一人の能力を超えたときに，他人とのコラボレーションが生まれ，目的と，そこに至るプロセスを確認しあうためのミーティングが行なわれるのです。どんなに IT が進化し，世界がデジタル化しようと，これは不変の事実です。

　ミーティングはビジネスの重要な舞台を提供します。議事進行を担当するファシリテーターがいて，参加者であるパティシパントがいます。そのありさまは，さながら，舞台の上で役者が決められた役どころを懸命に演じているようすに通じるところがあるように思えます。そこであなたが主役を演じ

るか脇役に甘んじるかは，あなたの「ミーティング力」に大きく左右されることは申し上げるまでもないでしょう。

◆ミーティングという具体的なゴールをもつことで実践的な英語力がつく

さて，世界はますますグローバル化のスピードを速めています。ビジネスも生活も，グローバルな接触なしには進めることがより困難になってきています。インターネットの世界でも，データーの蓄積量，コミュニケーションのトラフィック量，そのどちらをとっても，英語によるものが圧倒的です。英語をビジネスの現場で使いこなせる力は，グローバル・ビジネス・パーソンには必須のスキルです。

ところで，その英語の力をつけたいとばかりに，ひたすら英単語や熟語を暗記しようと努力する人がいます。その昔，覚えた辞書のページを飲み込んだという伝説的な猛者の話も耳にします。こうしたインプットは外国語である英語の習得をめざす場合の基本中の基本ですが，それには一つ条件があります。それは，「アウトプットを明確に意識したインプットをする」ということです。言い換えれば，「英語の習得そのものをゴールにするのではなく，英語を使った，べつの具体的なゴールを設定する」のです。

本書のコンテキストで申し上げれば，ミーティングという具体的なゴールを明確に意識しながら英語を身につけてゆくということです。こうした「英語を使って○○をする」というアプローチのほうが，「英語の高みを極める」といった（崇高ではあっても）「抽象的な」ゴール設定よりもはるかに効果的で現実的です。

◆ビジョンと戦略を意識した類を見ない文例集

聡明な読者には，もうおわかりでしょう。本書は，みなさんが圧倒的なグローバル・ビジネス力を身につけていくうえでの強力なバイブルになります。本書は，英語の単語や熟語表現を集めただけの，巷に多く見かけるたんなる英語文例集ではなく，

　① 自分の役割を明確に意識する

② 場面を明確に意識する
　③ ミーティングの技術力を駆使する
といった視点と構成で書かれています。これは，ビジネスでいう「ビジョンと戦略」を意識したアプローチです。さまざまなお仕事に携わる読者のかたがたのお役に立つものと信じています。

　ビジネスの特定分野のスペシャリストは，たしかに重用はされますが，最終的に経営者としての重責を担うためには，広範な分野におけるスキルと総合力がさらに要求されます。英語とて同様です。英語を使いこなすことであれば，プレゼンであれ，ミーティングであれ，スピーチであれ，すべてを使いこなせてこそ本物の実力を身につけているといえます。

＊　　　　　＊　　　　　＊

　本書は，シリーズ第一弾の『英語でプレゼン』に続く第二弾で，前著と同じく野村るり子さんとのコラボレーションの結果，生まれました。野村さんは多くのビジネス・パーソンにミーティングやプレゼンの指導をハンズ・オンでなさっているパワフルなコーチであると同時に，未来型人材創出をゴールとされる会社の経営者でもあります。

　私は30年間のビジネス経験と人材開発の仕事を経て，いまは大学で若者たちの教育にかかわる者ですが，一人でも多くの次世代のグローバル・リーダーを日本から輩出するお手伝いをしたいとの思いは共通です。その思いが，ぜひ，読者のみなさまに届くことを祈っています。

　本書の出版にあたっては日興企画代表の竹尾和臣氏，制作では友兼清治・嶋田ゆかりの両氏にたいへんお世話になりました。

　最後になりますが，本書をぼろぼろになるまで徹底的に使い込んでいただき，読者のみなさんが21世紀のグローバル・リーダーとして大きく世界に羽ばたかれることを心よりお祈りしています。

　　2004年　初夏

藤井　正嗣

●本書のおもな特徴

　「記憶する」こと，「理解する」こと，「使いこなす」こと——これは新しい知識を蓄えていくうえで，誰もがめざすべき三つのゴールです。本書の作成にあたっては，一人でも多くの読者が，これらのゴールに向けて効果的に学習できることを目的に工夫を凝らしてきました。

　本書は，ビジネス・パーソンおよび，その予備軍を対象としています。ビジネス・ミーティングの機会が多い営業職のかたに加え，研究や成果の発表を求められる研究者のかたもじゅうぶん活用できる内容となっています。

◆中学卒業程度の英語力で無理なく活用可能
　文例は，中学や高校の英語の教科書に出てくる単語や文法に準じて選択してあり，英語があまり得意でないというかたでも安心です。また，難易度の高いものには＊の記号を付して注をつけました。

◆実際のミーティングに即した構成
① おもにファシリテーター（進行役）が使う文例とパティシパント（参加者）が使う文例とに分け，使用頻度の高い基本表現を多数紹介（第1部，第2部）。
② 戦略会議・対策会議・商談など具体的なビジネス・シーンに即したサンプル表現をテーマ別に収録（第3部）。
③ 3C，4Pといったフレームワークの活用法や，効果的なセッティング，資料作成のコツなど，ミーティングを成功させるスキルとツールを具体的かつ簡潔に解説（第4部）。

◆実践的な例文を中心に徹底した文例主義
① 用途や状況に応じて組み合わせ自由な単文，約1100文例を精選。

② 現実のビジネス・シーンに則して,きょうから使える英語表現を厳選。
③ 実践的な場ですぐに役立つビジネス用語を中心に編集。
④ 文法だけでなく,活用場面での注意点を重視したワン・ポイント解説。
⑤ 英語で困ったときや会議を進行するのに便利な表現など,決まり文句をまとめて収録。

◆探している文例がすぐに見つけられる詳細な目次

読者が自分の欲しい情報に最短距離で到達できるよう,目次には本書に収録したすべての基本表現を網羅しました。索引としても活用できます。

◆ビジネスの最前線にふれるコラム "Teatime"

世界のトップ・エグゼクティブたちとの体験を描いたエピソードは,ビジネス・パーソンとしての成功の秘訣を学べます。国際社会での活躍をめざす読者にとっては必見です。

◆CD利用のすすめ

本書をより効果的に利用していただくために,基本となる英文例を厳選してネイティブ・スピーカーによるCDを用意しました。本CDには第1部・第2部の本章すべてと,使用頻度が高いと思われる第2部・第3部の補章を収録してあります。聴きたい文例がすぐに引き出せるように細かく頭出しを設け,該当個所には本文中にCDマークを付けてあります。

読者のみなさん一人ひとりが新しい言葉やイディオムと出会い,それらを理解し,実践の場で使いこなす――この目的を達成していただくことを喜びと感じています。本書が,みなさまが国際的な場で活躍する際のお役に立てることを心から願っています。

野村るり子

目次

● まえがき＋本書のおもな特徴 ……………………………………… 3

第1部 ファシリテーターの表現──司会者として会議を進める　CD1→CD25

第1章 ミーティングを始める──スタート

❶ 会議を始める ……………………………………………… 26
　〜を始める／〜はさておき，〜を始める／〜ので，〜を始める／ただちに〜にはいる／〜だが，〜を始める

❷ 基本ルールを決める ……………………………………… 28
　まず〜を決める／〜の電源を切ってほしい／〜にとどまってほしい／〜するよう，質問は一人1問だけにする／〜を○分，〜を○分とする／〜と〜を入れ替える

❸ 参加者への要望を伝える ………………………………… 29
　前向きに〜したい／〜に討論することで〜したい／全員が〜してほしい／全員の〜が必要だ／〜は極秘扱いである／内密にお願いする

❹ 中心議題の内容を説明する ……………………………… 30
　目的は〜である／テーマは〜である／議題は〜である／主題は〜である／〜を検討する／〜のために会議を開く

❺ 議題の進め方を伝える …………………………………… 32
　最初に〜を行ない，つぎに〜をする／まず何から始めようか／〜という観点から討議を始めたい

❻ 提案や報告を求める ……………………………………… 32

～さんから開始していただきたい／～について報告してください／～についての提案をお願いします／提案のまえに～してください／～に移ります

第2章 議事を進行させる──プロシーディング

❶ 発言〈提案〉を促す ·· 34
～について提案はないか／～について提案を受け入れている／ほかに何か～はあるか／どのような代替案があるのか／～を話してほしい／～の実情を話してほしい／～の経験がある人はいないか／～に関して，もう少し詳しい人はいないか

❷ 説明や報告を促す ·· 35
～の提案理由を説明してほしい／～のポイントを説明してほしい／～の事例を示してほしい／～を詳しく説明してほしい／～の報告をしてほしい／～の要点を教えてほしい／～から～について説明がある

❸ 見解や感想を求める ·· 37
～について意見はないか／～に関する意見をいただきたい／～についてどう思うか／～さんの意見についてどう思うか／～に関して，～のかたがたの意見は／～な意見を期待する／～として，どれが最適だと思うか／～はまだ発言していないが／～につけ加えたいことがある人はいないか／～についてほかの意見をもつ人はいるか／～さん，～について異議があるようだが

❹ 発言を控えさせる ·· 40
手短に～してほしい／要約してほしい／時間がないので～してほしい／前向きなコメントにしたい／批判的な～は控えてほしい／どんな意見も～すべきだ／～を最後まで聞こう／～は何度も発言している／ほかの～にも発言してもらおう／いまは～の番ではない／～からはもう一つだけとしよう

❺ 話を本題に戻す ·· 42
～とは関係がない／～がずれてきた／～が脱線気味だ／話を～に戻そう

❻ 話題を変える ·· 43
ここで～について話し合おう／つぎの議題の，～について話し合おう／つぎの～について話をしよう／～の件に移ろう／～なので，～に移ろう

❼─休息や再開を告げる ………………………………………… 44
　ここで休憩にする／○分間の休憩をとる／休憩して〜しよう／〜なので休憩する／あと○分で休憩にはいる／〜を再開する

❽─許可する／却下する …………………………………………… 45
　〜さん，どうぞ／〜のあとに発言を許可する／〜してけっこうです／〜してもかまいません／〜は受け入れられません／〜はしないでください／〜は認められません

❾─混乱を収拾する ………………………………………………… 47
　すぐ〜するのは避けよう／冷静に〜しよう／静かにしてほしい／落ち着こう／よく話し合って〜してほしい／〜を忘れないでほしい

❿─残り時間を告げ，まとめを促す ……………………………… 48
　時間は〜ですか／時間がない／あと○分しかない／〜のための時間は，あと○分である／〜しないと，時間切れしそうである／あと○分しかないので，急いで〜をまとめたい／時間がないので，〜は省略したい／時間がないので，〜を省略し，〜に絞りたい

⓫─会議時間の延長を諮る ………………………………………… 49
　〜なので○時間，延長したい／〜のために○分，延長したい／〜なので，このまま続けたい／〜では終わりそうにない／〜を継続するか，後日にするか

⓬─つぎの議題〈テーマ〉に移る ………………………………… 51
　〜は終わりにして，つぎの〜を始める／つぎの論点は〜についてである／〜の議論は終了して，次回のテーマを決める／これから○分ほど，〜の討論に移る／これより〜の時間にはいる

第3章　ミーティングをまとめる──サマライズ

❶─要点を整理する ………………………………………………… 54
　〜をまとめてみよう／〜をまとめると／〜に関しては合意が得られるだろう／〜を検討しよう／選択肢のリストを作ろう／〜の絞り込みをしよう／〜は除こう／〜はすべて記録してある

❷─採決する ··· 56
　採決を行なう／〜がないので，採決にはいりたい／〜のために決をとりたい／賛成は〜を，反対は〜を入れてほしい／〜の人は手をあげてほしい／無記名で入れてほしい／〜の提案に賛成か反対か／動議に賛成か反対か／〜に関する投票結果を発表する／総数は○で，賛成が○，反対○，白票○，無効票○である／〜は可決された／〜なので，〜は取りあげないことにする／〜ようなので，同意があったとする／〜に異議はあるか

❸─結論を確認する ··· 58
　〜の決定を振り返ってみたい／達成できたおもな事項は／決定事項をリスト・アップしたい／最終決定は〜によってなされた／きょうの打ち合わせで〜することができた／〜を再確認すると，〜ということである

❹─持ち越し事項を確認する ··································· 60
　ほかに〜はあるか／〜は明日もう一度，議論しよう／〜なので，再度，話し合うことにする／〜に持ち越す／〜が残されている

❺─出席者への課題を確認する ································· 61
　〜にまとめてもらう／〜に合意した旨を〜に掲載する／〜のレポートを提出してほしい／〜について後日，報告してほしい／〜までに代替提案を報告してほしい／〜までに〜を終えてほしい／締め切りは○月○日である

❻─次回の予定を決める ······································· 62
　つぎの〜は，いつにするか／つぎの会議は〜から行ないたい／次回は○月○日○時から行なう／〜までに予定を知らせる／次回は〜を行なう

❼─散会する ··· 63
　閉会する／〜はこれで終了する／それでは，〜を終わりにしよう／〜なので，ここで終了したい／これで〜はすべて終了した

補章　**チェアパーソンの表現**──オープニングとクロージング

①開会の挨拶をする……68／②関係者の紹介を行なう（自己／出席者）……71／③進行役や書記，タイム・キーパーの選出と紹介を行なう……72／④閉会の挨拶をする……74

◆開会と閉会の挨拶〈サンプル文例〉･････････････････････････････ 76

第2部 パティシパントの表現——参加者として議論しあう
CD26 → CD78

第1章 議題を提起する——明瞭で簡潔な説明

❶ 提案を行なう ･･･ 80
〜することを提案したい／〜について二つの提案がある／〜するには二つの方法がある／〜ということを正式に提案したい／〜という動議を提出したい／〜についてどう思うか／〜してみてはどうか／〜は叩き台である／〜は原案である／〜の共通基盤とするために用意した／〜に対して〜を提出する

❷ 資料を説明する ･･･ 82
〜は〜の統計の一部である／〜を参照してほしい／〜について述べている／〜の論証を試みている／〜を要約してある／〜の比較をしてある／〜の概要である／〜を調査したものである／〜について書かれたものである

❸ 質問する〈追加説明を求める〉･････････････････････････････････ 84
質問がある／〜について尋ねたい／もう少し詳しく知りたい／〜を詳しく聞きたい／もう少し詳細な〜はないか／〜をもう一度聞かせてほしい／〜の理由を聞かせてほしい／〜に達した理由を聞かせてほしい／〜に対する具体的なコメントがほしい／具体例をあげてほしい／もし〜なら，どうか／〜のときは，どうなるのか／〜と〜の比較を行なったことがあるか／〜と言っているのか

❹ 疑問を呈する ･･･ 86
本当に〜なのか／〜には疑念が残る／〜には疑問に思う点がある／〜が疑わしいと感じている／〜を疑っている／〜には疑問がある／〜にはかなり疑問の余地があると思う／かなり疑問の余地が残る〜である／〜はまったく信じられない／〜は信じがたい／〜を〜としては信頼できない／〜は現段階では信頼できない／〜は期待できない／〜したとは言いがたい

❺──質疑に応える ・・・ 88
　～は答えるのがむずかしい／～に関しては説明する必要がある／～の質問をもう一度してほしい／質問をくり返してほしい／～はとてもよい質問である／～を指摘してもらい感謝している

第2章　相手の意見に反応する──率直な感想と意見

❶──同意〈賛成・支持・容認〉する ・・・・・・・・・・・・・・・・・・・・・・・・・・・・・ 90
　～に賛成する／～であるという～の意見に賛成する／～と同意見で，修正する点はない／～の動議を支持する／～の提案を支持する／原則に賛成だ。しかし～／～には同意する。けれども～／～にまったく同感である／まったく～の言うとおりである／完全に～の考えに賛成である／それこそ，まさに～である／いくつかの点を除いては，～に賛成である／ほとんど～に賛成である／～に関してとくに疑義はない／とくに反対はしない

❷──理解〈肯定〉を示す ・・・・・・・・・・・・・・・・・・・・・・・・・・・・・・・・・・・・・・ 92
　～に異議はない／～の意味は理解している／同様に感じている／～の立場は理解できる／～は承知している／～であることは想像がつく／～が言わんとすることも少しは理解できる／部分的には理解できる／～はグッド・タイミングである

❸──反対〈否定・不賛成・不支持〉する ・・・・・・・・・・・・・・・・・・・・・・・ 94
　～に関しては，～の意見に反対する／～するまで，～に賛成しない／まったく同意できない／完全には～に同意できない／～の理由から認められない／～を支持できない／現段階では～を支持できない／～の意味することが理解できない／～は何を述べたかったのか／代替案がほしい

❹──中立を表わす ・・・ 95
　～については正しいと思うのだが／～に完全に賛成できるかどうかわからない／～はいかがなものか／正しいが，～する必要がある／どちらとも言いがたい／～に関して賛成・反対の見解を述べるつもりはない／どちらかに賛成，反対というわけではない／ひいきはしていない

❺──問題点を挙げる ・・・ 96

〜にはいくつかの問題点がある／〜には少し問題がある／〜するにあたって，問題が見つかっている／〜には問題点が存在する／〜には不十分な点が残されている／〜はまだ検討する必要がある

❻━反発する ･･･ 97
〜はポリシーに合わない／〜は不公平だ／〜は不公平だと思わないか／不公平な〜には納得できない／〜とは言いきれない／〜は不利である／〜はいつも不満を言う／〜と言ってもむだだ／黙認できない

❼━感情を示す ･･･ 99
ラッキーだ／初耳だ／〜に驚いた／〜はすばらしい／〜に腹が立つ／〜を残念に思う／〜に感銘した／さすがに〜である／〜に困惑した／〜に共感する／〜を心から理解している／〜は察しがつく

第3章 自分の意見を述べる──明解な見解と主張

❶━立場を明らかにする ･････････････････････････････････ 103
〜の一員として／〜を代表して／〜は私個人のアイディアである／〜は個人的な意見で，〜を代表しているわけではない／組織としての見方を〜する／個人の〜ではなく，組織としての〜である／事前に社内で相談した結果，〜と考える／〜する許可はすでに社内で得ている

❷━要求を伝える ･･･････････････････････････････････････ 105
すぐにでも〜をいただきたい／もしよろしければ，〜したい／〜を〜してほしい／〜を〜しないでほしい／ぜひお願いする／できるだけ早く〜してほしい／〜を望んでいる／〜を強く要求する／〜の導入を要求する／〜を理解したうえで，〜していただきたい

❸━確信を述べる ･･･････････････････････････････････････ 106
〜と確信している／〜すべきだと強く思う／〜のまえに〜しなければならない／早急に〜すべきである／〜を覚悟してでも，〜すべきである／〜が何よりもたいせつだ／いちばんたいせつなことは〜である／〜が必要不可欠である／私が言いたいのは〜の必要性である／〜の重要性を強調したい／〜する必要があることを強調したい／〜と言うほかない／言うまでもなく〜であ

る／〜であることは言うまでもない／〜こそ，まさに核心である

❹ 推測を述べる …………………………………………………… 108
〜の見込みがある／〜の見通しは明るい／〜のチャンスがあるかもしれない／はじめは〜だろう／あと〜くらいで〜になると思う／〜かどうかは疑問だ／〜は容易に予測できない／〜する恐れがある／このままでは，〜に追い込まれる／〜の可能性は〜である／〜すれば，〜できると思う／〜の気配がある／〜と思われる／〜しなければ，取り返しのつかないことになる／〜にならなければ，〜の状況は変わらないであろう

❺ 現状を述べる …………………………………………………… 111
〜は，すでに〜している／〜の水準にまでいっていない／〜にささかの変更もない／〜のバランスが保たれている／〜を開始したところである／〜が軌道に乗ってきたところだ／〜の状況にある／〜が発生した／〜が実情である／〜しようとしている最中である

❻ 相手に意見を求める …………………………………………… 112
〜についてどう思うか／意見を聞きたい／〜に関する意見を聞きたい／〜を直接，聞きたい／どのような〜をもっているのか／〜には何がもっとも望ましいと考えるか

❼ 論点（と，その根拠）を述べる ……………………………… 113
〜を再検討した結果，〜を発見した／〜な審査の結果，〜を得ることができた／〜の側面から検討した結果，〜をした／と考えるのは〜だからだ／〜であると思う。なぜなら〜

❽ アクション・プラン（と，その方法）を述べる …………… 114
目下，〜を検討中である／〜の予定がある／〜して，〜をしたいと考えている／〜を検討している

❾ 発言を控える …………………………………………………… 115
〜は差し控える／〜の立場にない／〜の権限がない／〜なので，これ以上は言えない／極秘なので，〜できない

❿ 言いにくい内容を述べる ……………………………………… 116
率直な言い方で申しわけないが／一般的に言って／〜は最悪だ／〜は，望みがほとんどない／もっと〜できたはずである／あまりうまくいかなかった

⓫──発言を訂正する ･･ 117
　　〜なので，前言は取り消す／論議の結果，〜を変更する／検討の結果，〜
　　とする／そういうことであれば，〜する／〜したことで考えが変わった
⓬──即答を避ける ･･ 118
　　いますぐ答えるのはむずかしい／〜なので，部分的にしか回答できない／
　　じゅうぶんな用意ができていない／現時点では答えられない／〜に確認の
　　うえ〜する／〜なので，正確にはわからない

第4章 意見の相違を調整する──建設的な意見交換

❶──誤りを指摘する ･･･ 122
　　〜に関して間違っている／〜については完全に間違えている／思い違いで
　　はないか／数字が違っている／〜という現実を無視している／非現実的で
　　ある／的はずれである
❷──誤りを認める ･･･ 123
　　〜と認める／〜は気がつかなかった／見当がつかない／間違っていたの
　　で，早急に〜する／こちらの間違いなので，〜する
❸──誤解を解く ･･･ 124
　　それはまったくの誤解だ／〜の誤解を明らかにしたい／誤解があるようだ
　　が／そうは言わなかった／〜が理解していることとは違う／〜の責任を逃
　　れるつもりはない
❹──矛盾を突く ･･･ 125
　　〜とまったく違う説明をしている／〜と完璧に同じものではない／まえの
　　ものと違う／論理的ではない／非論理的である／極端である／抽象的すぎ
　　る／あいまいすぎる／何かが欠けている
❺──批判する ･･･ 127
　　〜ならともかく，あなたのような人が〜するとは／なぜ，そんなに〜なこ
　　とが言えるのか／〜はしないように注意したのを覚えているか／〜を本気
　　で考えているのか／〜と言ったではないか／何か間違ったことを言ったと
　　言うのか／〜の責任は〜にある／〜しなかったのか／〜にこだわりすぎ

る／～するとは無責任だ／公私混同すべきでない／偏見がある／～にすぎないから，そのようなことが言えるのだ／口約束だけではあてにならない／そんなに～だから，～するのだ／～は不適当である

❻ 見解の相違を示す ……………………………………………… 129
～についてべつの見解をもっている／～を考えるためのべつの方法を示したい／対照的な見方を～したい／～には異なる見解がある／～にべつの方向から取り組んだ／少数派のようだが／～とは反対に，～と考えている／～とは考えていない／～を同じようには考えていない／～とは見えない

❼ 譲歩する ……………………………………………………… 131
～なので，なんとかしてみる／多分～を考慮することができるだろう／ほとんどの部分で賛成だが／～のような見方もあるかもしれない／～な見方もある

❽ 再検討を促す ………………………………………………… 132
～的な側面から再考してほしい／～の見地から再考してほしい／～のまえに，もう一度，考えよう／～となるよう，もう一度，考えてみてほしい／再考してみてはいかがか／再考が必要である

❾ 弁明・謝罪する ……………………………………………… 133
～であれば，心からおわびする／～が理解できず，失礼しました／今後はくり返しません／～の言ったことを誤解していたにちがいない／～の代わりにおわびします／～することを忘れた／～したつもりはなかった／～されて困惑している／～しなかったのだろう／本音で言ったのだが／私の知識不足で～できなかった／～の謝罪を受け入れる／～という言葉だけでは不十分だ

第5章 納得できる結論に導く ——了解しあえる合意点

❶ 条件を示す …………………………………………………… 138
～が合意できる条件は何か／～のための条件を議論しよう／～が望む条件の上限は何か／～なら，～する／～してくれれば，～できる／条件つきで～を承諾する／～ならば，要望に応えられる／～してくれたら，すぐに考え直す／～の状況のもとでは，～は受け入れられない／～が得られなければ，賛成できかねる

❷ 代案を示す ……………………………………………………… 140
　妥協案を用意する必要がある／～のための対抗案はあるか／～についてのほかの案を考えてみよう／ほかの可能な方法としては～がある／べつの方法として～があげられる／ほかの解決策は～である／～はいかがか

❸ 難色を示す ……………………………………………………… 141
　～はむずかしい／～は受け入れることができない／すぐに応じることはできない／これ以上，～に譲歩することはできない／～することはお断りする／～はキャンセルさせていただきたい／見込みはほとんどない／検討の結果，～という結論に達した／～なしに賛成することは不可能だ／～のようだが，賛成しかねる／事情はわかったが，～のもとでは要望に応えられない／討議したが，～できない

❹ 説得する ………………………………………………………… 143
　～の協力が必要だ／あなたなら～していただけると確信している／～できるのはあなただけである／もし～するならば，～できるであろう／の自信がある／どんな商品でも～できる／～のときは，いつでも力になる

❺ 妥協点を見出す ………………………………………………… 144
　～まで待ってはどうか／～するために妥協案を見つけよう／～して妥協案を見つけよう／　～での妥協案を見出そう／妥協案を見出すまで～しよう／～についての妥協案がある／歩み寄ってもらえないか／～だけは譲歩してもらえるか／～の条件をもう少し緩めてほしい／当方は～を受け入れるので，そちらは～で妥協してほしい／たとえ～するとしても，～だけは受け入れてほしい／～するように折衷案を考えた

❻ 受け入れる ……………………………………………………… 146
　すぐに～に戻って～する／～の時間がないので，～を受け入れる／できるだけ早く～するように取り計らう／～の言うとおり実行する／～を約束する／いやいやながら受け入れる／喜んで受け入れる／要望に沿えるよう努力する／前向きに処理する／～に非常に興味がある／～をぜひ取り入れたい

❼ 返事を保留する ………………………………………………… 148
　～と話し合う機会がほしい／～と議論する必要がある／～の意見も聞いてみる／～を得たうえで返事する／〇分，時間がほしい／考える時間がほし

い／～を考慮する時間がほしい／～までには結論を出す／～のまえに，もう少し考慮したい／見当がつかない／のちほど考えておく／まだ検討中である／まだ意向が決まっていない

❽──合意に達する ……………………………………………………… 150
～だから，実現させたい／～と契約を結びたい／～にご理解をいただき，うれしく思う／検討した結果，～を決定した／調査した結果，～するという結論になった／そろそろ～してほしい／～するまでは，～できかねる／～では合意していると思う。すなわち～

❾──物別れに終わる ……………………………………………………… 151
～なら，話し合う余地がない／白紙に戻す／時間のむだである／合意できない／残念ながら，～できなかった／～できなかったのは残念である

補章　会議の進行に便利な決まり文句──知っ得フレーズ集

①呼びかけ……155／②話の冒頭……156／③話の切り出し……156／④挿入句……157／⑤あいづち……158／⑥話の転換……160／⑦受け応え……160／⑧強調……161／⑨弱調……162／⑩前置き……163／⑪話の結び……165

◆ミーティングでよく使う用語と書類名 ……………………………………… 166

第3部　場面別サンプル文例──意見を正確に伝える表現

第1章　戦略・戦術を練る──周到な準備と検討

❶──新しい企業経営を展開させる ……………………………………… 172
組織改革が急務です／合弁事業について考えています／多額の投資が必要です／最終的な決断をくだします／ブランド・マネジメントの成功には～が必要です

❷──販売促進の企画を検討する ……………………………………… 173
～の戦略に焦点をあてるべきです／販売戦略的には～です／ターゲットの絞

り込みに有効です／〜にねらいを定めた広告をうつべきです／専門誌への広告を提案します／〜にはキャンペーンを始めたいのですが／広告戦略に問題があったことが原因かもしれません／強力な広告活動を提案します／広告重視には賛成なのですが／この新しいシステムを遂行すべきです／先着○人に〜をプレゼントしましょう／顧客に〜なレポートを送りましょう

❸ 予算〈資金〉の配分を思案する ……………………………… 175

予算を○パーセント削ります／一律削減は納得できません／削減可能な項目のリストを作ってください／〜のまえに予算を立てて提出してください／予算割当額を超過します／〜の予算を削るわけにはいきません／〜の予算を増やすべきです／○パーセントの節減が可能です／前年比で○割，節減できます／なんとか予算を確保してください／まず財政難に取り組むべきです

❹ 新しい分野へ進出する ……………………………………… 177

新分野に進出します／より多くの成果が期待できる分野です／委託研究事業です／多くの顧客を満足させることができます／財政的・社会的な利益をもたらします／成否は五分五分です／たとえ〜でも，このビジネスに取り組むべきです／〜という事実に注目してください／より広い視野から検討してみましょう／さまざまな見地から配慮がなされています／失敗すれば，○ドルの損害を被るでしょう／情報が漏れたら，成功できなくなるでしょう／承認されないかぎり，推進できません／財政支援が気にかかります

第2章　開発・開拓を立案する ── 綿密な分析と創意

❶ 新しい商品を開発する ……………………………………… 180

新製品の開発を提案します／新製品についての意見を聞かせてください／開発スケジュールに問題はありません／〜の特許は出願していますか／商品開発のプロセスを見直します／テスト・データでは，〜はわかりません／高く評価されるべきです／全世界に先立って開発しました／ついに長年の努力が実りました／予備実験の結果，〜となりました

❷ 新生産システムを提案する ………………………………… 182

新たな製造装置の導入を提案します／生産システムを再点検します／〜に関するノウハウがあります／〜して業務の効率化を図ります／この方法で〜に貢献できるでしょう／この技術は〜の発展に寄与するでしょう／製造原価を引き下げられます／人員整理が気になります

❸─消費市場を開拓する ･････････････････････････････････････ 184
ブランド認知には時間が必要です／〜が世界経済の中心となるでしょう／〜を政府に強く要請してきました／需要を生み出す商品を作る必要があります／テスト・マーケティングとして〜をしました／テスト・マーケティングが必要です／テスト・マーケティングに必要な期間は？／〜では需要が大いに期待できます／商品市場の調査が必要です／A社が市場の○パーセントを占めています

第3章　課題・難題を解決する──真摯で誠実な対応

❶─トラブルに対処する ･････････････････････････････････････ 186
問題の原因は徹底的に調査します／全面的に責任をもって処理します／同じ過ちはくり返しません／早急に調査し，ご報告します／返送料は当方が負担します／復旧作業中です／トラブルが発生して〜ができません／修復には○日みてください

❷─対策を練る ･･･ 188
〜の対策はどうなっていますか／万一の場合の対策をもっていますか／〜は見逃しにできません／議論している時間はありません／だれが責任をとるか把握していますか／事故解決の最高責任者になってくだい／責任回避をしているのではありませんか／顧客が困惑することになるでしょう／どう挽回するか話し合いましょう／トラブルの原因を探るには〜する必要があります／情報が漏れてしまいました／必然的に問題が起こるでしょう

❸─契約内容を検討する ･････････････････････････････････････ 190
契約に関して意見交換をしましょう／はっきりした契約を取り決める必要があります／〜なので，契約は見送ります／契約のまえに〜を再確認する必要があります／顧問弁護士にチェックしてもらいます／〜の承認を得た

ら，書類を作成します／本社の確認をとりました／法務部門の承認が必要です／保守契約を結ぶと，〜ができます／契約の標準的な期間です

第4章 商談や業務の交渉をする——率直で意欲的な交渉

❶──製品や商品の説明をする ……………………………………… 194
　〜の製品について話をさせてください／〜の特徴を聞かせてください／当社で開発した新素材でできています／保守サービス料はいくらですか／〜を提供します／高品質・高性能です／改良を加えてあります／気に入ると確信しています／経済性はどうですか／〜には自信があります／〜は当社が負担します

❷──生産能力や在庫の確認をする ………………………………… 196
　年間生産量はどのくらいですか／今月の生産量は〜です／生産が間に合いますか／リード・タイムは何日くらいですか／売上実績を教えてください／年商はどのくらいですか／入荷はいつですか／在庫を切らしています／在庫を問い合わせています／〜から発送します

❸──価格や数量の交渉をする ………………………………………… 197
　○か月先までの予測はできますか／〜で見積もります／〜はどのくらいを考えていますか／値引きできますか／〜すれば，○割引きにします／〜はいくらに設定されていますか／割引率は○パーセントです／予想以上に高額です／どのくらい安くなりますか／もっと安くなりませんか／これがぎりぎりの線です

❹──支払いや納期などの条件を決める …………………………… 199
　支払い条件を教えてください／毎月○日締め，翌月○日払いです／頭金はいくらですか／振込手数料は〜の負担です／現金一括払いだと，○パーセントの値引きになります／○日以内にお支払いください／納期はいつですか／納期は〜です／〜の包装でお送りします／追加注文の価格は〜で考えてください

❺──懸案事項の連絡や調整をする ………………………………… 200
　〜の結果を報告してください／データが不足しています／調整が困難な点は〜です／もう少し時間をかけて〜しましょう／持ち帰ってはどうでしょ

うか／～を担当者会議のテーマにしましょう／次回に提案してください

補章　英語で困ったときに便利な表現——あわてず騒がず
CD79 → CD81

　①相手の英語がわからない……202／②うまく英語がでてこない……205／
　③通訳を依頼する……206
◆企業や官庁の部署名・役職名 …………………………………………… 209

第4部　成功するミーティングの技術——スキルとツール

第1章　成功に導く四つのポイント——充実させるための心得
1——アウトプットを明確にする ————————ポイント❶ ……… 214
2——全員の活発な意見を引き出す ——————ポイント❷ ……… 215
3——全員にとって有益な結果を導く ——————ポイント❸ ……… 216
4——成功に導く有益な話し方や態度を身につける——ポイント❹ ……… 217

第2章　成功させるための環境づくり——効果的なセッティング
1——レイアウト……………………………………………………… 219
2——黒板・ホワイトボード・フリップチャートの使用……………… 220
3——機械・器具の選択…………………………………………… 222

第3章　わかりやすい資料づくり——作成と配布のコツ
1——ミーティングのまえに必要な資料…………………………… 224
2——ミーティングの最中に必要な資料…………………………… 226
3——ミーティングのあとに必要な資料…………………………… 227

第4章 便利なフレームワークの活用——合理的な議論の秘訣

1──フレームワークを使う意義……………………………………………229
2──フレームワークのメリット……………………………………………229
3──フレームワークの活用方法……………………………………………230
4──フレームワークの種類…………………………………………………231
　　5W2H／SWOT／3C／4P／自作のフレームワーク

Teatime

❶　プレッシャーをマネージする ──────実例から学ぶ❶……… 52
❷　論理的に議論する ──────実例から学ぶ❷……… 65
❸　経営全般の基礎知識を身につける ──実例から学ぶ❸……… 77
❹　冷静かつ長期的な視点で判断する ──実例から学ぶ❹………101
❺　ビジョンと戦略を示す ──────実例から学ぶ❺………120
❻　柔よく剛を制す────────フレームワークを使う❶………135
❼　4C分析法を自在に使いこなす ────フレームワークを使う❷………153
❽　WIN-WINの交渉をめざす ─────フレームワークを使う❸………169
❾　学習の習慣づけが外国語習得のカギ ──英語力を強化する❶………192
❿　アウトプットよりもインプットを重視する──英語力を強化する❷………211

装丁＋本扉　………………………………インターワーク出版
中扉　………………………………………高橋すさ子
本文レイアウト　…………………………峰　啓輔

第1部

ファシリテーターの表現

司会者として会議を進める

第1部の英文例は補章を除きCDに収録してあります。頭出し番号はCD1からCD25までです。

第1部　ファシリテーターの表現

第1章
ミーティングを始める
―――スタート―――　　　CD1

　第一線で活躍するビジネス・パーソンはみな，ミーティングが時間どおりに開始され，スケジュールどおりに進行されることを希望します。なぜなら，彼らは，ビジネスでの成功を生み出す「時間」という資源をむだにしたくないからです。このことを理解したうえで，ファシリテーターは，ミーティングを予定どおりに開始し運営できるよう，心がけなければなりません。

1――会議を始める

　定時にミーティングを開始することは，ファシリテーターにとっての基本的な業務です。貴重な時間がむだにならないよう，時間になりしだいミーティングを開始しましょう。

　　　　　　　　＊　　　　　　＊　　　　　＊

～を始める

これから始めます。
| Well, why don't we get started?

これより議事に従い会議を始めます。
| We will now start the meeting as per the agenda.
　＊――as per ... は「～に従って」という意味です。as per your request で，「ご要望により」というように使います。
| Call to order.
| We shall now start the main business of the meeting.

席にお着きください。これから営業会議を始めます。

| Please take your seats. We'd like to begin the business meeting.

～はさておき，～を始める

定刻になりましたので，会議を始めたいと思います。
| The time has come for us to start our meeting.

形式的なことはさておき，すぐに会議を始めましょう。
| Let's dispense with the formalities and begin the meeting immediately.
| *― dispense with ... は，「～なしですます」という意味です。dispense with のあとは 名詞/代名詞がくることに気をつけましょう。

～ので，～を始める

みなさん，ご着席ください。定刻を少し過ぎましたので，これより本セミナーを開催いたします。
| Ladies and gentlemen, please be seated. Since we have gotten off to bit of a late start, we would like to begin today's seminar.

定員数に達しましたので，会議の開催を宣言したいと思います。
| Since almost everyone is here, let's begin our conference.
| We can fill in others as they arrive.
| *― fill in には「埋める」といった意味がありますが，「最新の情報を知らせる」という意味で使用することもできます。

ただちに～にはいる

時間を節約するために，ただちに予定の内容にはいりましょう。
| Let's not waste any time and jump right into the agenda.

～だが，～を始める

管理部門の代表者がいらっしゃらないようですが，定刻を5分過ぎましたので，始めたいと思います。
| I don't know where the delegates from the Administration Division are, but I believe we should start it since we're already running 5 minutes late.

2—基本ルールを決める　　CD2

書記やタイム・キーパーの選出，入出室方法の決定などは，ミーティング開始時までに決定しておくと便利です。

*　　　　　　　*　　　　　　　*

まず〜を決める
詳細の話し合いにはいるまえに，まず本日の会議の議題を決めましょう。
> Before we get into the discussion in detail, let's first make sure we all agree on today's agenda.

*— in detail は「詳細に」という意味です。

少々お時間をいただいて書記役とタイム・キーパーを任命し，基本ルールを取り決めたいと思います。
> I would like to take a moment to appoint a note-taker and a timekeeper, and set several basic rules.

〜の電源を切ってほしい
携帯電話とポケットベルの電源は切るようにお願いします。
> I would like to ask everybody to turn off your cell phones and pagers.

〜にとどまってほしい
みなさんは，休憩時間以外はできるだけこの部屋にとどまってください。
> In between breaks, I would like to ask everybody to please stay in the room.

〜するよう，質問は一人１問だけにする
だれもが質問の機会を得られるよう，質問は一人１問だけにしてください。
> To make sure that everyone has a chance to ask questions, we can only accept one question per person. Thank you.

〜を○分，〜を○分とする
まず進行を前回と同様に行なうことを提案いたします。つまり，発表が15分，質疑応答が５分です。

> At first, may I suggest that we follow the same procedure as last time, namely 15 minutes for speech and 5 minutes for discussion?

＊— namely は名詞句や文などのあとに用い,「すなわち」という意味です。

～と～を入れ替える

つごうにより, 議事の順番を変更させていただきます。2番目の議事と4番目の議事を入れ替えます。

> Due to unforeseen circumstances, item number four will be switching places with item number two.

3—参加者への要望を伝える

ミーティング進行上の要望や, 知りえた情報の守秘義務などについては, ミーティング開始時までに理解してもらう必要があります。

　　　　＊　　　　　　＊　　　　　　＊

前向きに～したい

今回の会議ではいくつかの問題点が議論され, 結構ですが, 私たちは前向きに関係を深めていきたいと考えています。

> We welcome the discussion of problems in this meeting, but we would like to maintain a positive focus and constantly search for ways to strengthen our relationship.

～に討論することで～したい

率直かつ自由に討論することで, これらの課題を解決していきましょう。

> Let us discuss these issues frankly and openly in order to work towards a solution.

全員が～してほしい

本会議では, ここにいる全員が討議に参加していただきたいと思います。

> I encourage and hope for everyone's participation in today's discussion.

きょうは, みなさん全員からのご意見を得たいと思います。

| I would like to get everyone's opinion on the issues.

全員の〜が必要だ
私たち全員の積極的な意見交換が必要です。きょうは，みなさん全員のご意見が聞けることを楽しみにしています。
| We really need the honest opinions of everyone present. I look
| forward to hearing what each of you have to say.

〜は極秘扱いである
これは関係者外秘の資料です。取り扱いにご注意ください。本会議ののちに回収させていただきます。
| This document is confidential and we ask that you treat its
| contents accordingly. We will be collecting the documents after
| the meeting.

内密にお願いする
このプロジェクトは，現段階においては他社に内密にお願いします。
| We ask you not to disclose any information about this project to
| other companies.

4 ─ 中心議題の内容を説明する　　CD4

ミーティングの目的を明らかにし，参加者全員の議論の方向性を一致させておきましょう。

＊　　　　＊　　　　＊

目的は〜である
この会議の目的は，新商品発売スケジュールの遅延に関して各工場の現状報告と，その対策を決めることです。
| The purpose of the meeting will be to hear each factory's report
| regarding the delay of the new product launch and to decide on
| the solution.

本会議の目的は，この上期の活動を見直し，下期の活動に関する新しい計画を提案することにあります。

> The purpose of this plenary meeting is to review our activities during this past half year, and to propose new plans for the second half of the year.

＊— half year は「半期」という意味です。「半期の」と使用する場合は，half-yearly（形容詞）として使用します。

テーマは〜である

今回の会議のテーマは，「当社へのナレッジ・マネジメント・システムの導入について」です。

> This meeting's theme is "The Introduction of Knowledge Management Into Our Company".

議題は〜である

私たちの会議の議題は，「ナレッジ・マネジメントの改革について」です。

> "The Reform of Knowledge Management" is the subject of our meeting.

> Our meeting's agenda is "The Reform of Knowledge Management".

主題は〜である

今日の主題は「ナレッジ・マネジメントの改革」です。

> Today's main subject is "The Reform of Knowledge Management".

〜を検討する

この会議では，提案されている出荷プランを見直し，変更が必要かどうかについて検討します。

> In this meeting we will review the proposed shipping plan and discuss whether any revisions are necessary.

〜のために会議を開く

最近の出荷プランの遅れについて話し合い，改善案を講じるために会議を開きます。

> We will meet to talk about the recent delays in the shipping plan,

| and to generate ideas for improvements.

5—議事の進め方を伝える　　　　　　　　　　CD5

　討議すべき内容が複数ある場合は，進行の順番を明らかにしながら，一つ一つ進めていきましょう。

＊　　　　　＊　　　　　＊

最初に〜を行ない，つぎに〜をする
　以前のプロジェクトの担当者からご意見をうかがったのち，解決策を話し合っていきたいと思います。
| After hearing the opinions from the person in charge of the previous project, we shall enter into discussions about solutions.

　最初にブラウン教授から現状分析のご報告をしていただき，それから討論に移りたいと思います。
| First of all we shall request Professor Brown to report the analysis of the current situation, and then we shall proceed to the discussion.

＊―request 人 to ... は，「人に〜するよう懇願する」という意味です。request は，ask より正式で意味が強くなります。

まず何から始めようか
　本日は多くの提案が出されましたが，まずどの提案から始めましょうか。
| Many proposals have been presented today. Which of these shall we start with first?

〜という観点から討議を始めたい
　組織改革という観点から討論を始めたいと思います。
| I'd like to address the reorganization first.

6—提案や報告を求める　　　　　　　　　　CD6

　ファシリテーターは，報告者や提案者にじゅうぶんな発表の機会を与える必要があります。一方で，必要以上に長い発表は，その旨を知らせ，つぎの

議題に移るよう誘導しましょう。

＊　　　　　＊　　　　　＊

～さんから開始していただきたい

スミスさんから開始していただけませんか。
> Mr. Smith, would you go first?

最初に，ブラウン教授にお願いしたいと思います。
> I would first like to call upon Professor Brown.

＊― call upon... は call on と同様の意味で，「～に頼む」という意味です。

～について報告してください

では，営業部から今月の売上数値について報告をしてください。
> Let's hear about this month's sales numbers from the sales department.

＊―「売上数値」は，sales という単語一つで表現することもできます。

～についての提案をお願いします

まず人事部から人事異動についての草案について報告をお願いします。
> First, let's hear the Personnel Department's report on the proposed staff reorganization.

提案のまえに～してください

山田太郎さん，提案にはいるまえに，まず現状を報告してください。
> Mr. Taro Yamada, before you go into your proposal, would you please first give a report on the present situation?

～に移ります

では，現状をふまえ，これから問題提起に移らせていただきます。
> Well, keeping the present conditions in mind, let us move on to the problems at hand.

第1部　ファシリテーターの表現

第2章
議事を進行させる

――― プロシーディング ――― CD7

　ミーティングにおいては，より多くの参加者の意見を反映し，じゅうぶんな考察がなされたうえで結論を導く必要があります。限られた時間内でこれだけのことをするのですから，ファシリテーターは，参加者一人ひとりの発言の長さやタイミングを調整しなければなりません。また，テーマから大幅にはずれた議論がなされている場合は，論点を明らかにし，ミーティングのテーマに沿った討議に戻すよう心がけましょう。

1―発言〈提案〉を促す

　欧米人は，自発的な発言に慣れています。一方，日本人は，指名を待つ傾向があります。優れた意見を引き出すうえでも，数多くの参加者に発言の機会を与えましょう。

　　　　　＊　　　　　＊　　　　　＊

～について提案はないか――――――――――――――
　今回の議題について何か提案はありますか。
　　| Are there any proposals about this subject?
　どなたか，何か提案はありますか。
　　| Suggestions, anyone?
　　　＊―Suggestions, anyone? は，Are there any suggestions from anyone? の
　　　口語的な表現です。

～について提案を受け入れている――――――――――
　いつでも提案は受け入れております。

| We are always open to your suggestions.
ほかに何か～はあるか
　　ほかに何か新しい検討課題がありますか。
　　　| Are there any other topics we need to address?
どのような代替案があるのか
　　どのような代替案を用意しておられますか。
　　　| What alternatives have you prepared?
～を話してほしい
　　スミスさん，次期の研究計画に関してお話しいただけますか。
　　　| Mr. Smith, could you please explain your next research plan?
～の実情を話してほしい
　　コーポレート・ガバナンスの実情を話してください。
　　　| Please tell us the real story about corporate governance.
～の経験がある人はいないか
　　そのような事例にかかわった経験をおもちのかたはいらっしゃいますか。
　　　| Does anyone here have experience in these types of cases?
　　　　*―cases は customer relations などに置き換えることができます。
～に関して，もう少し詳しい人はいないか
　　その問題に関して，もう少し詳しい情報をおもちのかたはいらっしゃいませんか。
　　　| Does anyone have further information on this issue?

2―説明や報告を促す　　　　　　　　　　　CD8

　　発表者の主張をよりいっそう明確にする必要がある際は，その場で説明を求めましょう。具体的な事例をまじえた説明はより効果的です。
　　　　　　　＊　　　　　　＊　　　　　　＊
～の提案理由を説明してほしい
　　ブランド・マネジメントを提案する理由を説明してください。
　　　| Could you tell us why you propose brand management?

| Please tell us the reason behind proposing brand management.
| What is the reason for suggesting brand management?
| Please explain your suggestion about brand management.

〜のポイントを説明してほしい
その提案についてのポイントを説明していただけませんか。
| Could you summarize the main point of the proposal?

〜の事例を示してほしい
その提案に関して，具体的な方法を示していただけませんか。
| Could you show some detailed ways to illustrate the proposal?

〜を詳しく説明してほしい
もう少し詳しいご説明をお願いできればと思います。
| Could you explain a little more in detail?

〜の報告をしてほしい
モーガンさん，生産部門からの報告をお聞かせ願います。
| Mr. Morgan, please let us hear the report from the Production
| Department.

〜の要点を教えてほしい
スミスさん，マーケティング・チームの調査結果の要点を教えてください。
| Mr. Smith, please summarize the investigation results of your
| marketing team.

〜から〜について説明がある
スミス氏から金融工学の有効性について説明があります。
| Mr. Smith will explain the merits of financial engineering.
| Mr. Smith will say some words regarding the merits of financial
| engineering.
スミス氏から金融工学の有効性について詳しい説明があります。
| Mr. Smith will provide us with detailed information on the
| merits of financial engineering.

＊― provide ... with～は，「...（人や場所）に～（必要なもの）を提供する」という意味です。

スミス氏から金融工学の有効性について，べつの観点から説明があります。
　Mr. Smith will cover a different point of view about the merits of financial engineering.

3―見解や感想を求める　　　　　　　　　　　　　　CD9

　欧米人は，発言者と意見が異なる場合，その場で自分の意見を述べます。一方，日本人は，ミーティング時間内にはなかなか自分の意見を表明しないことも多いので，ファシリテーターは積極的に見解や感想を引き出すようにしましょう。

＊　　　　　＊　　　　　＊

～について意見はないか

どなたか，ご意見はありませんか。
　Does anyone have any opinions?

その提案に関して，ご意見はございませんか。
　Does anyone have any opinions regarding the proposal?
　　＊― regarding ... は前置詞で，「～に関して」や「～について」という意味で，about よりも形式ばった言い方です。

高田さん，このアイディアについてほかの意見がありませんか。
　Mr. Takada, do you have any other opinions about this idea?

～に関する意見をいただきたい

ご自身の研究結果から判断して，この問題に関するご意見をいただければと思います。
　Judging the matter from the results of your own research, what do you think about this problem?

～についてどう思うか

スミスさん，この検討事項ついてどう思いますか。
　Mr. Smith, how do you feel about this issue?

～さんの意見についてどう思うか

ジャック・ブラウン氏の意見についてどのように考えますか。
| What do you think about Mr. Jack Brown's opinion?

ジャック・ブラウン氏の考えについてどう思いますか。
| How do you feel about Mr. Jack Brown's idea?

～に関して，～のかたがたの意見は

その提案に関して，生産技術部のかたがたのご意見はいかがでしょうか。
| How do the people from the industrial engineering department feel about the proposal?

その提案に関して，みなさんのお考えはどのようでしょうか。
| What does everyone think about the proposal?

～な意見を期待する

その課題に関する率直なご意見を期待しております。
| We hope to hear your frank opinions and views related to the subject.
| ＊hope to hear を expect で置き換えることもできます。

～として，どれが最適だと思うか

現状の改善策として，どれが最適だと思いますか。
| What do you think is the best way to improve the current situation?

～はまだ発言していないが

ブラウンさん，まだご意見をお聞きしておりませんが，この課題に関してどうお考えでしょうか。
| Ah, Ms. Brown, we have not heard from you yet. Do you have any input regarding this issue?

発言をされていないかたのなかで，何かご意見をおもちのかたはいらっしゃいますか。
| Are there any comments from those who have not yet spoken today?

まだご発言していないかたから，うかがいたいと思います。
> May we hear now from some of the participants who have not yet expressed themselves?

〜につけ加えたいことがある人はいないか
ロビンソン氏の考えに何かつけ加えたいことのあるかたはいらっしゃいませんか。
> Would anyone like to add to Mr. Robinson's idea?
>
> Is there anybody who wants to add to Mr. Robinson's idea?

〜についてほかの意見をもつ人はいるか
この提案について，ほかのご意見をおもちのかたはいらっしゃいますか。
> Are there any further questions or comments regarding this proposal?
>
> *— questions or comments の表現は，ビジネス・ミーティングの場面で非常に多く用いられる表現です。

ほかの違ったご意見をおもちのかたはいらっしゃいますか。
> Is there anyone who has a different opinion from the one just expressed?

〜さん，〜について異議があるようだが
スミスさん，その提案について異議があるようですが，ご意見をお聞かせいただければと思います。
> Mr. Smith, you seem to have some objections regarding the proposal. Could you please tell us what you think about it?

モーガンさん，ブラウンさんのご提案にご不満のようですが，その理由を説明していただけますか。
> Ms. Morgan, you appear to object to Mr. Brown's proposal. Will you explain the reason?
>
> *— object to ... は「〜に反対する」「〜に異議を唱える」という意味で，to のあとにはモノ・こと・人が入ります。

4―発言を控えさせる　　　　　　　　　CD10

発言の内容には，必要以上に長いものや，ほかの発言者の話をさえぎるものなど，調整が必要なものがあります。ファシリテーターは，参加者全員の意見が平等に反映されるよう，意見の調整をはかりましょう。

　　　　　　　＊　　　　　＊　　　　　＊

手短に～してほしい

手短にご説明いただけませんか。
　| Would you explain it briefly?

要約してほしい

要約をしていただけませんか。
　| Would you summarize?

時間がないので～してほしい

少し時間が押していますので，質問を短めにお願いいたします。
　| Since we are a little short on time, can you please shorten your question?
　＊― since は，接続詞として「～だから」「～なので」という意味で使用します。

前向きなコメントにしたい

コメントは前向きにしましょう。
　| Let's keep our comments positive.

批判的な～は控えてほしい

批判的なコメントはお控えください。
　| Please refrain from critical comments.

どんな意見も～すべきだ

私たちは，どんなアイディアや意見も広く受け入れるべきです。
　| We should keep an open mind about all ideas and opinions.

～を最後まで聞こう

スミスさん，モーガンさんが言いたいことを最後まで聞きましょう。モーガンさん，どうぞ続けてください。

> Mr. Smith, we should first hear Ms. Morgan out. Ms. Morgan, please go on.
>
> ＊― hear out は，「(人・話など) を最後まで聞く」という意味です。

～は何度も発言している

スミスさん，あなたからはすでに何度も発言していただいていますし，有益なご指摘だと思います。一方で，この件に関するほかのかたの意見も聞いてみたいと思います。

> Mr. Smith, we have been hearing a lot from you, and your suggestions have been very useful. However, we really need to hear more about how some of the others view this subject.

ほかの～にも発言してもらおう

スミスさん，ありがとうございました。つぎに，今度はほかのかたに発言していただきたいと思います。

> Thank you, Mr. Smith. Next, I would like to offer some others an opportunity to talk.

モーガンさん，あなたの指摘はいつも有益ですが，ほかの人からもご意見を聞きたいと思います。

> Ms. Morgan, we always enjoy hearing your useful suggestions, but I would like to hear some other opinions right now.

いまは～の番ではない

モーガンさん，ご指摘は興味深いものですが，いまはスミスさんの発言が途中だったと思います。またのちほどあなたに戻ります。

> Ms. Morgan, that is an interesting suggestion you made, but I believe Mr. Smith was in the middle of his speech. Let's note your point and come back to it later.

～からはもう一つだけとしよう

もう一つだけご質問を受けて，つぎの提案者に移りたいと思います。

> We only have time for one more question before moving on to the next presenter.

5—話を本題に戻す　　　　　　　　　　　　　　　CD11

議論の方向性から大幅にはずれた意見に気づいた際は，その旨を発言者に伝え，本論に戻るよう指示をしましょう。

＊　　　　　＊　　　　　＊

〜とは関係がない

彼女の提案は，本題に直接は関係ないようです。
> Her proposal does not seem to be directly related to the main issue.

そのご発言は，本日の議題とは関係ないようです。べつの機会に話し合うことにし，最後に時間を設けさせていただきます。
> That remark does not seem to be related to our topic today. Let us talk about it on another occasion and, take some time at the end.

知識不足かもしれませんが，この話は私たちの問題点とは関係がないように思います。
> I may be missing something, but I do not see the relevance of this talk to our problem.

〜がずれてきた

大変に興味深い話し合いですが，われわれがめざす方向からずれてきたように思われます。
> This has been a very interesting talk, but I am not quite sure if this is the direction that we want ourselves headed in.

〜が脱線気味だ

議題からやや脱線気味です。
> It looks like we have departed a little from the agenda.
>
> ＊— depart は，ここでは「はずれる」や「それる」という意味です。

話を〜に戻そう

話を戻しましょう。

| Let's cycle back.
本題に戻っていただけますか。
| Can we return to the main topic?
話を本題に戻したいと思います。
| Let's bring the discussion back to the main subject.
発言中に申しわけありませんが，議題とは直接，関係がないようです。
| Forgive me for interrupting, but I don't think this is directly related to the topic.
＊— forgive ... for〜で，「...の〜を許す」という意味です。

6—話題を変える　　　　　　　　　　　　　　　　　　　　　CD12

　一つの問題が解決した際は，すみやかにつぎの問題点に話を移行しましょう。また，進行時間に留意し，議題を一つひとつかたづけていきましょう。

　　　　　　　＊　　　　　　＊　　　　　　＊

ここで〜について話し合おう
ここで支払条件について少し話し合いませんか。
| Could we now talk about the payment conditions?

つぎの議題の，〜について話し合おう
つぎの議題の，新規プロジェクトの見通しについて話し合いましょう。
| Let us talk about the next topic, the outlook on the new project.

つぎの〜について話をしよう
つぎのビジネスプランについて，ちょっとお話ししませんか。
| Why don't we discuss our next business plan for a moment?

〜の件に移ろう
来年度の新規採用の件に移りましょう。
| Let's move the discussion on to next year's new hires.

〜なので，〜に移ろう
この課題の解決には時間がかかりそうですので，つぎの課題の検討に移ってはいかがでしょうか。

Since we do not seem to be able to solve the issue now, could we move on to the next subject?

ご質問がないようですので，つぎの議題に移りたいと思います。
Since there seems to be no question, let us proceed to the next agenda item.

＊― agenda が，「ミーティングの議題全体」をさしている場合があります。全体の議題よりも小さな議題を意味するときは，item を用いることができます。

7―休息や再開を告げる　　　　　　　　　　　　CD13

長時間にわたるミーティングは，参加者の集中力を下げる結果に終わります。自由な離席が許可されていないミーティングでは，2 時間に 1 回は 5 分程度の休息時間を設けましょう。

＊　　　　　＊　　　　　＊

ここで休憩にする

小休止したいと思います。
I'd like to take some time for a short break.

少し休みたいと思います。
Let's have a short break.

〇分間の休憩をとる

ここで15分間の休憩をとりたいと思います。
Now we will have a 15-minute break.

30分の休憩をとりましょう。
Let's take a 30-minute rest.

休憩して〜しよう

休憩して，午後に新鮮な雰囲気で会議を再開しましょう。
Let's take a break and restart the meeting fresh in the afternoon.

〜なので休憩する

決議の前に最終確認を取りたいかたもいらっしゃると思いますので，10分

の休憩を設けます。

> Some of you may wish to reconsider your final decision before casting your votes. Accordingly, let's take a 10-minute recess.
>
> *— accordingly は副詞で，「それゆえに」「したがって」という意味で，通常，文頭やセミコロンや and のあと，または動詞の前に置いて使用します。

活発な討論でしたが，長い間，席に座っておられたので，お疲れではないかと思います。15分間，休息して，リラックスしていただければと思います。

> This has been a positive discussion, but I am afraid we have kept the participants seated too long. Shall we take a 15-minute break and relax?

あと○分で休憩にはいる

あと数分で休憩にはいりますが，ほかにつけ加えることはありますか。スミスさん，いかがでしょうか。

> We will go into a break in a few minutes, but do you have anything else to add? Mr. Smith, how about you?

～を再開する

ただいまから会議を再開します。

> We will now restart our meeting.

休息時間が終わりましたので，席にお戻りください。討論を再開します。

> Our break is finished. Please return to your seats so we can pick up our discussion.
>
> *— discussion の代わりに argument を用いると，意見の相違があった印象を強めに与えます。

8―許可する／却下する　　CD14

議論が激化するとともに，ほかの発表者の意見をさえぎって意見を述べる参加者が増えます。このような場合は，ファシリテーターが発言者のコントロールをする必要があります。

　　　　　＊　　　　　＊　　　　　＊

～さん，どうぞ
はい，田中さん，ご発言ください。
| Mr. Tanaka, please let us share your remarks.

～のあとに発言を許可する
山田さんは鈴木さんのあとにご発言していただけませんか。
| Mr. Yamada, could you speak after Mr. Suzuki?

～してけっこうです
その資料を，いま配布してくださってけっこうです。
| You can pass the materials now.
どうぞ，OHPやスライドをお使いください。
| You may use the Overhead or the slides as you wish.

～してもかまいません
かまいません。どうぞお話を続けてください。
| It does not matter. Please continue with your talk.
| ＊― matter は「重要である」という意味の動詞で，通例，it を主語にし，疑問・否定文で用いられます。

～は受け入れられません
申しわけありませんが，これ以上，延期はできません。
| I'm sorry but we cannot postpone this any longer.

～はしないでください
最初に申しあげましたように，この会議の録音はしないでください。
| As I mentioned in the beginning, please do not record this meeting.

～は認められません
申しわけありませんが，オブザーバーのかたの発言は認められません。
| I'm very sorry but we will not accept remarks from the observers.

9—混乱を収拾する　　CD15

議論の激化とともに懸念されるのが，複数の参加者が同時に発言しはじめることや，論点をはずれて議論がなされることです。このような場合は，ファシリテーターが発言者を落ち着かせましょう。

＊　　　　＊　　　　＊

すぐ〜するのは避けよう

すぐに速断するのは避けましょう。
> Let's not jump to a conclusion.

冷静に〜しよう

論争はやめて，落ち着いて話し合いましょう。
> Let's stop arguing and talk calmly.

落ち着いて交渉を再開しましょう。
> We have to negotiate calmly again.

静かにしてほしい

お静かに願います。
> We appreciate your attention, please.

みなさん，話をやめてください。
> I would like to ask everyone to quit talking for a moment.
> ＊— for a moment は，「ちょっと」という意味です。for a while も同様の意味で使用します。

落ち着こう

少し落ち着きましょう。
> Let's calm down here.

少々熱くなり過ぎているようです。
> Let's not get too heated up.

よく話し合って〜してほしい

お二人でよく話し合ったうえで，この計画を進めてほしいと思います。
> I'd like the two of you to keep talking to each other, and keep

| this plan moving forward.

～を忘れないでほしい
私たちはみな同じ目標に向かって協力をしているのを忘れないでいただきたい。
| Please remember that we are all working together toward the same goal.

10 — 残り時間を告げ，まとめを促す　　CD16

基本的に，ミーティングの終了時までになんらかの結論を出すことが求められます。ファシリテーターは，参加者全員に残り時間が迫っていることを伝え，時間内に議論が終わるよう心がけましょう。

　　　　　　　　＊　　　　　　＊　　　　　　＊

時間は～ですか
時間は予定どおりに進んでいますか。
| Are we running according to schedule?
時間はどうなっていますか。
| How are we doing on time?
時間がオーバーするんじゃないですか。
| I'm worried that we are running over on time.
　＊— run over は，「（予定の時間など）を超える」という意味です。

時間がない
時間がなくなってまいりました。
| We are almost out of time.
| Our time is nearly up.

あと○分しかない
残り時間が，あと5分しかありません。
| We have only five minutes left.
終了時間まで，あと10分です。
| We have 10 minutes left until we're out of time.

〜のための時間は，あと○分である

経営戦略のためにとってある時間は，あと15分のみです。
| We only have fifteen minutes left for business strategy.

〜しないと，時間切れしそうである

スピードを上げないと，時間切れしそうです。
| If we do not speed up, we are going to run out of time.

あと○分しかないので，急いで〜をまとめたい

あと数分しかありませんので，急いでまとめにはいらせていただきます。
| Since we only have a couple of minutes left, let me quickly go
| into the conclusions.

時間がないので，〜は省略したい

時間がありませんので，ほかの個所は省略したいと思います。
| Because our time is running short, I will have to omit the other
| parts.

時間がないので，〜を省略し，〜に絞りたい

時間がありませんので，つぎの4点を省略し，最後のトピックに絞りたいと思います。
| Because our time is running short, I am going to skip over the
| next four points and concentrate on the last topic.

11 ― 会議時間の延長を諮る　　　CD17

ミーティング時間内に結論が見出せない場合は，時間を延長することがあります。また，短時間で結論を出せないと判断した場合は，追加討議の時間を新たに設ける必要があります。

　　　　　*　　　　　*　　　　　*

〜なので○時間，延長したい

3時間の予定を取っておいたこの会議ですが，さらに話し合う事項がありますので，あと30分延長することに異存はありませんか。
| We only scheduled three hours for this meeting, but we need

more time to discuss. Would everyone be comfortable extending this meeting for an extra thirty minutes?

きょう，どうしても結論をださなければなりません。続けましょう。
　　| We have to conclude this today. Let us continue.

全員のご意見を聞きたいので，時間を延長しましょう。
　　| I'd like to hear everyone's opinion. Let's extend our time.

～のために○分，延長したい

この課題についての合意を得るために，あと30分，会議を続けてもよろしいでしょうか。
　　| Would everybody be willing to continue another 30 minutes so that we can reach consensus on this subject?

～なので，このまま続けたい

いまの意見はいいアイディアです。この件について，このまま討論を続けませんか。
　　| That is a good idea. Could we continue our discussion concerning this topic?
　　| ＊― concerning ... は前置詞で，名詞のあとに用い，「～についての」や「～関しての」という意味です。

～では終わりそうにない

課題が多すぎて，予定の会議時間内では間に合いそうにありません。
　　| It seems that we have too many subjects and not enough scheduled meeting time.

～を継続するか，後日にするか

継続して会議を行なうほうがよろしいですか。あるいは，後日，改めて会議を開くほうがよろしいですか。
　　| Shall we continue this meeting a little longer, or schedule for another day?

12—つぎの議題〈テーマ〉に移る　　　　　　　CD18

　ミーティング開始時に発表された議題が，時間どおりに進められているかを確認しましょう。また，新しい議題に移る際は，参加者全員にその旨がわかるように告知しましょう。

　　　　　　　＊　　　　　　＊　　　　　　＊

〜は終わりにして，つぎの〜を始める────────────
　契約についての話し合いは終了して，つぎの議題を話しましょう。
> Let's conclude our discussion of the contract and then talk about the next theme.

　私たちの報告書についての話し合いは終わりにして，マーケティング問題について話しましょう。
> Let's finish discussing our report and then go on to the marketing problem.

　＊—go on to ... は，ここでは「(つぎの話題など) に移る」という意味です。

つぎの論点は〜についてである────────────
　つぎの論点は財務分析についてです。
> The next issue is financial analysis.

〜の議論は終了して，次回のテーマを決める────────────
　この議論は終了して，次回のミーティングまでに検討すべきテーマを選択しておきましょう。
> Let's finish this discussion and decide the theme for the next meeting.

これから○分ほど，〜の討論に移る────────────
　これから30分ほど，この課題に関する討論に移ります。
> We have 30 minutes for the next discussion on this subject.

これより〜の時間にはいる────────────
　これより質疑応答の時間にはいります。
> The floor is now opened to questions.

Teatime ❶

実例から学ぶ❶
プレッシャーをマネージする

　私はアメリカの事業会社で会長兼社長を務めていたとき，年齢による差別事件で訴訟を起こされたことがあります。生産性が低いあるベテラン社員を解雇したわけですが，日本の不当な労働慣行をアメリカに持ち込んだ年齢による差別であり，違法行為だという訴えでした。

　日本の不当な労働慣行とは，「日本の多くの会社では，55歳を過ぎてラインの長の職にない社員はポスト・オフといってスタッフの仕事に就く，これにともない給与も下がる」と，前任の社長が日本の会社の人事ルールを昼食の席で言ったことを，解雇された社員がメモしていた内容をさします。私はこの社員を半年間，観察したことにもとづき，彼の生産性の低さを理由に解雇したわけですが，両者が強引に結びつけられ，「年齢差別」と訴えられたのです。

　私は，正当な理由があるということで，裁判で闘うべきだと主張しましたが，株主である本社は，一刻も早く本件を解決して本来の業務に戻るべきである，との指示を出してきました。そこで，私は顧問弁護士と相談して調停（Mediation）をすることにしました。

◆真剣勝負の英語を理解する

　調停とは，原告と被告の双方が通常は弁護士を伴って立場を主張しあい，裁判官の経験などがある調停者（Mediator）が双方の立場を聞いたのち，原告と被告それぞれを別室に入れ，両者の間を行ったりきたりして双方の利害を調整するものです。拘束力はありませんが，裁判にかかる手間とコストを考えれば，スピーディーで合理的なシステムです。同じように裁判手続きを経ない仕組みとして仲裁（Arbitration）がありますが，こちらの場合は，仲裁者（Arbitrator）の裁定は法的拘束力があるとされています。

　さて，こうした調停会議（Mediation Meeting）では，双方がそれぞれの立場を述べるわけですが，訴訟のプロである弁護士の弁舌の迫力と切れ味は大変なものがあります。原告の社員側の弁護士は，すでに某日本企業を敗訴に追い込んで巨額の賠償金を勝ち取った凄腕の弁護士，被告である私のほ

うの弁護士は常に Best Lawyers in America に選ばれていて裁判で一度たりとも負けたことのない女性でした。ちょっとドラマティックにいえば，ストリート・ファイターの喧嘩パンチ（相手側）と，華麗で切れ味鋭いかみそりパンチ（こちら側）との戦いのようでした。

さて，当事者としてその場に立ち会う私は，英語を母国語としない唯一の外国人です。当然，訴えられた張本人として，弁護士同士のやり取りを完璧に理解し，弁護士に適切な指示を出すことを求められます。つまり，「プロフェッショナルと議論に参加する」ことが求められるわけです。そこでは，プロフェッショナル同士の真剣勝負の英語を理解するのみならず，当事者として中心的な役割を果たせるだけの英語力が求められるのです。

◆相手に敬意を払いつつ，人と問題を分けて考える

当事者同士はそれぞれ自分の言いぶんが正しいという立場ですし，長年つき合った社員を相手に闘うのは，どうしてもエモーショナルになってやりにくいものです。解雇された社員には，奥さんも同席しています。

こうした緊迫する場面でも冷静に対応するためには，人と問題を分ける（Separate the people from the problem.）スキルが求められます。相手に対する人間的な感情を廃し，問題の解決のみに全力をあげるのです。

概してアナログ人間といわれる日本人はこれが苦手です。どうしても，「人＝問題」「問題＝人」というような発想をしがちですが，両者を切り離して問題の解決に集中するのです。これは，人の感情を伴うストレスに負けないためにも有用な心構えです。つまり，「プレッシャーをマネージする」秘訣でもあるのです。このスキルは交渉の際にも有効です。

また，こうした場面では，どうしても相手に対して悪意や憎しみの感情を抱きがちになります。しかし，相手も人間です。どんなにつらい状況で相手が憎くとも，相手の人間性に対する基本的な「配慮と敬意をもちつづける」ようにしましょう。会社に長く貢献した社員であれば，なおさらです。

これは一人の人間としてもつべき心構えでもありますが，そうした基本的な姿勢が，調停者や裁判における陪審員，ひいては相手側の弁護士にまで好影響を与え，結果的に好ましい成果が得られることもあるのです。

第1部　ファシリテーターの表現

第3章
ミーティングをまとめる

――サマライズ――　　　　　　　　CD19

　議論がスムーズに行なわれたとしても，時間内に結論を得られないミーティングは成功とはいえません。ですから，ミーティング終了予定時刻から逆算し，論点をまとめる時間を準備しなければなりません。やむをえず参加者全員が満足する結論が得られなかった場合は，今後のミーティング開催の予定や課題等についても，ミーティング時間内に決定しておきます。

1――要点を整理する

　ミーティングが終わってしまってからでは，重要なポイントすべてを整理するのは困難です。ファシリテーターはポイントを押さえながら議論を進めていきましょう。

　　　　　＊　　　　　＊　　　　　＊

～をまとめてみよう

　本日の討議された内容をまとめてみましょう。
　| Let's summarize today's discussion.

～をまとめると

　これまでのご提案をまとめると，つぎのようになると思います。
　| The proposals presented so far may be summarized as follows:
　これまでの論議をまとめますと，生産拡大と組織改革の見直しを進めるということになりました。
　| To summarize the results of our discussion, we see that two
　| proposals have to be reconsidered; the increase in productivity

| and the organizational reform.

～に関しては合意が得られるだろう

この基本事項に関しては，合意を得ることは可能かと思います。

| We can probably obtain agreement on this basic issue.

～を検討しよう

多数の解決策の一覧ができあがりましたので，どれを選んだらよいか，これから検討していきましょう。

| Now that we have listed a lot of solutions, I think that we can start to consider which one would be best.

＊― Now that ... は「いまや～だから」という意味で，that は省略されることもあります。

選択肢のリストを作ろう

アイディアはじゅうぶんに出たと思います。それを相互比較できるリストを作成しましょう。

| I think that we have plenty of ideas now. Let's make a list of them so that we can compare them with each other.

＊― plenty of ... は「じゅうぶんな」という意味で，of のあとには可算・不加算名詞を置きます。plenty の反対は，lack を用います。

～の絞り込みをしよう

これから，選択肢の絞り込み作業にかかりたいと思います。

| I think that now is the time to start narrowing down these options.

もう少しリストを絞り込んでみましょう。明らかに取り除けるものがありますか。

| Let's see if we can narrow down this list to a smaller number of options. Is there anything that we can clearly cut out?

～は除こう

明らかに非現実的とわかる選択肢を除いてみましょう。

| Let's try to trim the apparently non-viable options.

| ＊—viable は,「実行可能な」という意味の形容詞です。

～はすべて記録してある

書記役のスミスさんが，これまで出されたアイディアを細かく記録しておりました。

> Mr. Smith as our note-taker has been carefully writing down all the ideas that we have been producing.

2—採決する　　　　　　　　　　　　　　　　　　　　CD20

決められた時間内で結論を出す際に用いられるのが採決です。欧米のビジネス・パーソンは日本のビジネス・パーソンと比較し，じゅうぶんな議論が交わされるまえの採決を拒む場合が多々あります。採決は，じゅうぶんな議論を経てから行なう作業と考えてください。

　　　　　　　　　　＊　　　　　　＊　　　　　　＊

採決を行なう

規則に従い投票による採決を行ないます。

> We shall decide by vote, according to the rules.

～がないので，採決にはいりたい

異議がありませんので，採決にはいりたいと思います。よろしいですか。

> Since there are no more objections, I would like to move on to the drafting of a resolution. Does everyone approve?

～のために決をとりたい

この件についてみなさまがどう考えているか確認するために，決をとってはどうでしょうか。

> Why don't we take a straw poll to see what everybody thinks about this subject?

賛成は～を，反対は～を入れてほしい

賛成は赤い票を，反対は白い票を投じてください。

> Those in favor shall present a red card, those opposed shall present a white card.

～の人は手をあげてほしい
この議題に賛成の人は手をあげてください。つぎに，反対の人，手をあげてください。
> Everybody in favor, please raise your hand. Now, everybody opposed, please raise your hand.

無記名で入れてほしい
無記名でお願いたします。
> Please do not sign your name.
> Please be anonymous.

～の提案に賛成か反対か
その提案に賛成ですか，反対ですか。
> Do you agree with the proposal, or disagree with it?
> Are you for the proposal, or against it?
> Are you pro or con?
> ＊― pro and (or) con は，副詞・前置詞で用います。「賛成票・反対票」を意味する場合は通例，pros and cons と複数で用います。

動議に賛成か反対か
動議に賛成ですか，反対ですか。
> Are you for or against the motion?

～に関する投票結果を発表する
その課題に関する投票結果を議長より発表いたします。
> The President will announce the results of the vote on the subject.

総数は○で，賛成が○，反対○，白票○，無効票○である
ただいまの投票の結果，総数は175票で，賛成が100票，反対50票でした。なお，白票が5票，無効票が20票ありました。
> The result for the poll was a total of 175 votes, 100 for and 50 against. There were 5 blank votes and 20 which were undetermined.

〜は可決された
委員会の勧告を受け入れるというモーガンさんの議案は可決されました。
> Ms. Morgan's proposal that we accept the Committee's recommendation has been approved.

〜なので，〜は取りあげないことにする
賛成が少ないようですので，スミスさんから提出された環境保護に関する議題は取りあげないことにします。
> Since few people seem to agree, Mr. Smith's proposal regarding the conservation of nature will not be taken up here.

〜ようなので，同意があったとする
反対がないようですので，委員会の同意があったとします。
> As there seems to be no objections, we take it that the Committee adopts it.

反対がないようですので，その提案に賛成といたします。
> Hearing no objections, I assume you adopt the proposal.
>
> ＊— assume ... は，「(明確な証拠はなくても) 〜を確かだと思う」という意味です。

〜に異議はあるか
私たちの決定に異議はありますか。
> Does anybody question our decision?

この結果に異議を唱えますか。
> Does anyone protest the result?

3—結論を確認する　　　　　　　　　　CD21

結論を不透明なままにしておくと，議事録配布後に異議を唱える人が出てきます。結論の確認は，ミーティング時間内で必ず行なっておきましょう。

　　　　　　＊　　　　　＊　　　　　＊

〜の決定を振り返ってみたい
本日の決定を振り返ってみたいと思います。

| Let's review what we have resolved today.

達成できたおもな事項は

きょうの打ち合わせを通じて決定されたおもな事項としては，財務状況の改善に関する合意であると思います。

| The main outcome of today's meeting is the decision which we have made to improve our financial conditions.

決定事項をリスト・アップしたい

本日，決定した事項をリストアップしてみたいと思います。

| Let's list up the things that we have resolved today.
| *— resolve ... には，「～しようと決心する」や「決意する」という意味もあります。resolve のあとには，to do や that 節を置きます。

最終決定は～によってなされた

その最終決定は，ここにいるみなさまの同意によってなされました。

| The final decision was adopted by the consensus of all present.

きょうの打ち合わせで～することができた

きょうの打ち合わせでは，各提案を詳細に検討し，じゅうぶんな結論を得ることができました。

| In today's meeting we were able to examine all the proposals in detail and draw sufficient conclusions.

～を再確認すると，～ということである

決定事項を再確認すると，ロジャーさんはデザイナーとの交渉，ブラウンさんはプロジェクト人員の確保，そしてスミスさんは，新しい素材の調査を行なうということです。

| To review what we concluded, Mr. Roger will be in charge of negotiations with the designer, Ms. Brown will secure staff for the project, and Mr. Smith will investigate new material.
| *— charge は，ここでは「責任」という意味で，a person in charge で「責任者」というように使用できます。

4―持ち越し事項を確認する　　　CD22

　議事項目はすべて時間内にカバーすることが好ましいです。しかし，項目が残ってしまった場合は，ミーティング時間内に，次回，話し合う予定を決定しておくとよいでしょう。必ず討議されることがわかっていれば，参加者全員が安心して解散することができます。

　　　　　　　＊　　　　　　＊　　　　　　＊

ほかに〜はあるか

ほかに話し合う事項はありますか。

> Are there any other topics we need to discuss?

〜は明日もう一度，議論しよう

本日の課題は，明日の会議でもう一度，議論いたしましょう。

> We shall discuss today's issue once again in tomorrow's meeting.

〜なので，再度，話し合うことにする

結論に達しませんでしたので，この課題は2月の総会で再度，話し合われることになりました。

> As we could not reach a conclusion, the subject will be carried over into the agenda of the General Assembly in February.

〜に持ち越す

合意に至りませんでしたので，明日の特別部会に持ち越すことにします。

> As we have been unable to reach a consensus, the subject will be continued in a special session tomorrow.
>
> ＊be unable to ... は，「〜（することが）できない」を意味します。able の反対語です。

〜が残されている

結論として，満足できるだけの成果が報告されましたが，まだ多くの課題が残されていることも指摘しておきたいと思います。

> In conclusion, I should like to point out that although we

> reported some satisfactory progress, much still remains to be done.

5—出席者への課題を確認する

文書提出を依頼する際は，必ず，課題（テーマ）と提出日時を明確にしておきましょう。

＊　　　　　　＊　　　　　　＊

～にまとめてもらう

本討議については，委員会に報告書と具体的な実行案というかたちでまとめていただきます。

> As a result of this discussion, the committee will make a report along with a plan of execution.

～に合意した旨を～に掲載する

いくつかの事項に合意した旨を議事録に掲載したいと思います。

> Let the minutes show that we have agreed upon several issues.

～のレポートを提出してほしい

本日の会議の結果をレポートとして提出してください。

> Please submit the results of today's meeting as a report.

～について後日，報告してほしい

数日これについて調査を行ない，そのうえで調査結果を報告していただきたいと思います。

> I would like you to spend a couple of days to investigate it, and then report back to us on your findings.
>
> ＊on ... は前置詞で，関連を表わすときに用い，上記の文例では「～に関して」という意味です。この用法の場合，concerning ... と同様の意味です。

～までに代替提案を報告してほしい

スミスさんとモーガンさん，ほかの機会を設けてこの問題をお二人で話し合い，来週までに代替提案を用意して，私たちに報告していただきたい。

> Mr. Smith and Ms. Morgan, I would like the both of you to take

this issue offline and come back to us with an alternative suggestion by next week.

～までに～を終えてほしい

9月7日午後1時に予定されている次回の会議までに，この任務を終えてください。

> Please complete these tasks by our next meeting scheduled for September 7th at 1:00 p.m.

締め切りは○月○日である

報告書の締め切りは9月14日です。

> The deadline for the report is the 14th of September.

6―次回の予定を決める　　　CD24

参加者が解散するまえに次回のミーティング時間や会場を決定しておくと，全員のスケジュールを一度に確認できるので便利です。

　　　　　＊　　　　　　＊　　　　　　＊

つぎの～は，いつにするか

つぎの会議はいつにしましょうか

> When should we have our next meeting?

つぎの会議をいつに設定したら，業務の支障にならないでしょうか。

> What next meeting time would be the least likely to interfere with everybody's work?

つぎの会議は～から行ないたい

つぎの会議は2時からにしたいのですが，みなさん，だいじょうぶですか。

> I would like to propose that we all meet at 2:00 o'clock. Is that alright with all of you?

次回は○月○日○時から行なう

次回は17日の午後2時から行ないます。

> We are going to meet again at 2:00 p.m. on the 17th.

| We will meet again at 2:00 p.m. on the 17th.
| Let's continue the discussion at 2:00 p.m. on the 17th.

～までに予定を知らせる

来週の月曜日までに，メールでつぎのミーティングの日程と場所をお知らせします。

| I will mail you about our next meeting time and place by next Monday.

＊— by は時の期限を表わし，「～までには」を意味します。

次回は～を行なう

次回は製作担当者にも出席していただいて，本件の詳細を詰めたいと思います。

| Next time I would like to have the manager of the production team come and wrap up the details of this case.

7―散会する　　　　　　　　　　　　　　　　　　　　CD25

散会の言葉は，会が終わることを示す合図です。したがって，参加者全員にわかるよう，はっきりと述べましょう。また，参加者は，英語でのミーティング解散宣言は日本語に比べて大変シンプルですので，聞き落とさないようにしましょう。

　　　　　　　＊　　　　　＊　　　　　＊

閉会する

ありがとうございました。閉会致します。
| Thank you; we are adjourned.

最後の課題が終了しましたので，これで閉会致します。
| That was the last topic, so the meeting will be concluded here.

～はこれで終了する

会議はこれをもって終了します。
| This concludes today's meeting.

今回の話し合いはこれにて終了します。

| Let's conclude this discussion now.
| That is all for today's meeting.

それでは，～を終わりにしよう

それでは，本日の会議を終わりにしましょう。

| Well, why don't we wrap up today's meeting?

＊― wrap up ... は，「(仕事・議論など) を終わりにする」「要約する」という意味です。

～なので，ここで終了したい

有意義な討論が続いておりますが，予定の時間を過ぎていますので，ここで終了したいと思います。

| I wish we could have more time to go on with this productive discussion. But, since we have already exhausted our scheduled time, we must end this meeting now.

これで～はすべて終了した

これで予定されていたプログラムはすべて終了いたしました。ご出席ありがとうございます。

| All scheduled programs have been completed. Thank you for your participation.

＊― schedule (動詞) は，「～を予定する」という意味で使用します。scheduled services で，「(バスなどの) 定期便」というように使用することができます。

Teatime ❷

実例から学ぶ❷
論理的に議論する

　私は30年のビジネスキャリアを通じてさまざまなミーティングに参加してきましたが，そのなかで最大のピンチに遭遇したのが，アメリカの事業会社の会長兼社長を務めたときの取締役会（Board Meeting）でした。その会社は事業環境の急変からさまざまなビジネス上の課題を抱えていました。

◆重要事項から取りあげる
　私の任務は，ずばり事業の再構築でした。考えられるさまざまな手を打ちましたが，事業環境の変化はいかんともしがたく，真の決定打といえるものはありませんでした。ついに人の問題にも手をつけざるをえず，リストラも断行しました。生産性の低い社員に辞めてもらったわけですが，あるベテラン社員をレイオフ（lay off）した結果，差別で訴えられるという事態に至りました。私が赴任してから半年後に発生した大事件でした。

　この取締役会は，そんな事件の渦中で，かつビジネス上の大きな問題をほかにも多く抱えていたときに開催されました。私にとっては最初の取締役会でもありました。訴訟の件は別途打ち合わせるつもりで，取締役会の議題（Agenda）からは，はずしていました。ところが，ここに大きな落とし穴が待っていたのです。

　私が会議の開催を宣言するや，日本の本社から出席していたこの事業の最高責任者から，「訴訟の件を最優先して議論すべきではないか」とやられてしまったのです。

　訴訟の経緯は逐一本社に報告していましたし，アメリカ人幹部も多く出席する取締役会の席で，まさか本社のトップがこうした形で訴訟の件の報告と議論を求めるとは思っていませんでした。

　私は一瞬，「しまった！」と思いましたが，気を取りなおし，概略を英語で簡単に報告したうえで，取締役会はいったん休憩とし，日本人参加者だけで別途議論することにしました。日本人株主だけの会議を終えたのちに取締役会を再開し，再びビジネス上の重要な議題の議論に戻りました。

この間の，責任者である私にかかったプレッシャーは相当なものでしたが，「重要事項から取りあげる」「論理的に議論する」という姿勢を貫くことで切り抜けました。これは，私がこうした修羅場を通して得たノウハウですが，みなさんにもぜひ覚えておいて使っていただきたいと思います。

◆**現地での役割を優先させる**
　さて，この事件には「異文化経営に取り組む」際の心構えにかかわるいくつかの重要な教訓が含まれています。とくに，日本の会社が海外で事業展開をし，現地幹部を含めた取締役会のような重要な会議を，日本人を入れて行なう場合の問題です。それは「親会社における上下関係の問題」であり，「ビジネス習慣の問題」であり，「言葉の問題」です。
　まず，「親会社における上下関係の問題」です。これは当然，尊重すべきですが，出先における役割が現地では優先されます。私がそうであったように，もしあなたが取締役会会長であれば，たとえ本社の「上司」が取締役として参加しているような場合でも，議事進行に責任をもつのはあなたです。正式な会議が終わったあとの日本人同士の懇親会のような場であれば，元の関係に戻ればよいのです。正式な場ではあくまで，現地での正式なポジションに従って行動すべきであることを，本人も本社の人もぜひ心にとどめておくべきです。
　現地の社員は，親会社から派遣された人間が本社の上司に対してどういう態度を取るのか，実質的な権限はあるのかなど，じつによく見ているものです。取締役会などにおける行動があとあとビジネスの遂行に大きな影響を与えてくる可能性がありますので，親会社の幹部に対する態度にはじゅうぶん注意を払う必要があります。

◆**根回しが必要な場合もある**
　つぎに「ビジネス習慣の問題」，とくに「根回し」の問題があります。"Nemawashi" として世界中に知られるようになったわが国の有名なビジネス習慣ですが，私はもともと根回しが嫌いで，必要なことは公式な場で堂々と議論すればよいではないか，という主義です。しかし，上記のような

critical な事件発生時は例外として考えるべきでしょう。

　私が遭遇したようなケースでは，訴訟について現地人幹部も出席する取締役会の場で議論するのは適切ではありません。極端な例では，現地社員同士が非常に親しく，情報がリークされることも考えられます。また，将来，自分が解雇されたときに備えていろいろと日本人の思考パターンを知っておこうと考え，会社の利益ではなく，株主や会社の手の内を探ることを目的として議論に参加する社員がいないとはかぎりません。

　したがって，このような場合は，会議の場ではなくほかの場所で一部関係者だけが話し合う（"I propose we discuss the issue off-line." のように表現します）のが適切です。つまり，この上司の行動は適切ではなかったというのが私の結論です。

　しかし，上司がそのような行動を取ったのには理由があります。つまり，事前報告と相談を，私がすればよかったのです。「日本からわざわざ出席したのに，本社経営にも影響を与えかねない重要事項について現地責任者から事前に何の報告も相談もなかった」といった伝統的な思考様式を取るこの上司の考えを理解して行動すべきだったと思います。

◆日本人同士でも英語を使う

　「言葉」については，会議に一人でも現地の社員がいる場合は，ほかに共通言語がなければ，まず英語で行なうのが原則です。

　日本人同士が重要な会議を英語でやるのは非常にやりにくく，ぎこちなくなります。とくに，自分の本社における序列が上である上司のほうが英語が苦手である場合，議論がままならないことからストレスを感じ，余計やりづらくなりますが，これはビジネスと割り切ってやるしかありません。

　ビジネスの現場では，いろいろあり，ときとして圧倒されるくらい大変（overwhelmingly tough）ではありますが，そうしたすべての体験がみなさんのビジネス・パーソンとしての成長の糧となります。自信と勇気をもって，前向きに取り組んでいただきたいと思います。

補章
チェアパーソンの表現

————オープニングとクロージング————

　ここで紹介するフレーズは，ミーティングの席に限らず，いかなるオープニングやクロージングの席でも応用可能なものばかりです。すべてを暗記する必要はありません。自分にとってもっとも発音しやすいものや，覚えやすいものをいくつか記憶しておくと便利です。

　なお，国際会議とは，これまでに紹介してきたミーティングと比較して規模の大きいものと考えてください。参加者数が多い場合は，50人，100人，またはそれ以上を収容する大ホールが使われます。着席の仕方も，社内ミーティングでみられるようなコの字，ロの字のデスク配置ではなく，発表者以外は正面を向くスクール形式が多くなります。挨拶の内容も，一方向的で多くの参加者に投げかけるメッセージが主流となります。

❶——開会の挨拶をする

　印象的な開会の挨拶は，参加者のモチベーションを高めます。恥ずかしがらずに，感情をこめて，しっかりと挨拶をしましょう。

　　　　　　　　＊　　　　　　　＊　　　　　　　＊

〜を開会します

　ここに第20回国際環境会議の総会の開会を宣言します。
> I declare the 20th General Assembly of the International Environment Conference now open.

　第5回国際環境会議を開会いたします。
> The fifth meeting of the International Environment Conference is called to order.

　それでは，本会議を始めたいと思います。

| I would like to call this meeting to order.

～のみなさま，ようこそ
会員のみなさま，ゲストのみなさま，ようこそおいでくださいました。
| We'd like to welcome all of the members and their guests.

～を心より歓迎します
化学協会の議長として，みなさまのご出席を心より歓迎申しあげます。
| As the president of the Chemical Association, it is my great pleasure to welcome you.

～に代わって歓迎の意を表します
最初に，スミス氏に代わり，昨日，今大会のために来日なさった議長，委員，オブザーバー，職員，そのほか関係者のみなさまに心から歓迎の意を表します。
| First, on behalf of Mr. Smith, I wish to extend our heartiest welcome to the President, delegates, observers, secretarial staff and others who have come to Japan to attend this conference.

＊― on behalf of ... で，「(人) に代わって」という意味です。of のあとが代名詞の場合は，on behalf of him ではなく，on his behalf を用います。

～にあたり，歓迎の意を表します
開会式にあたり，各国代表のみなさまに歓迎の意を表する機会を与えていただき，大変うれしく思っております。
| It is a great joy for me to be allowed the opportunity of extending a hearty welcome to the delegates from various nations on the occasion of our opening ceremony.

ご協力ください
みなさまの心からのご協力とご支援を，ぜひともお願い申しあげたいと思います。
| I sincerely appeal to everyone present for your kind cooperation and support.

本日の会議を有意義なものにするために，みなさまのご協力をお願いでき

ればと思います。

> We wish your kind cooperation so that today's meeting may turn out to be useful.

〜をお迎えできて光栄です

この分野の見識が高いかたがたに多数ご出席いただき，また，多くのすばらしいご来賓，各国の代表者をお迎えできましたことを，大変に光栄に思っております。

> It is a great honor for us to be in the presence of so many of the authorities in our field. We are honored by the many outstanding guests and delegates from several nations.

〜が〜となることを切に願っています

本日より2週間にわたって行なわれるこの大会が，実り多いものとなることを心よりお祈りいたしまして，歓迎の祝辞を終わらせていただきます。

> I would like to close these words of welcome by expressing my sincere hopes for the great success of this conference throughout the coming two weeks.
>
> ＊— coming は形容詞で，「きたるべき」や「つぎの」という意味です。

〜を望みます

本日の会議にご出席のみなさまが，これまでの研究成果をこの場で発表することを通じて，環境保護活動の促進に寄与されることを望みます。

> We deeply hope that all who participate in this conference will make a report on the results of their continuing study, and thus contribute to the progress of our work for the conservation of nature.

みなさまが率直にかつ建設的に討論にご参加されることを心から望みます。

> We sincerely hope that all present will feel free to speak candidly and exchange their opinions constructively.

❷―関係者の紹介を行なう（自己／出席者）

　人物紹介の際は，役職や敬称は名刺をお借りするなどして必ず事前に調べておきましょう。

＊　　　　＊　　　　＊

議長を務める～です
　私が本日の議長を務める高田宏です。
　| I, Hiroshi Takada, will be the chairman of today's meeting.

～に代わって議長を務める
　きょうは，スミス氏に代わって私が議長を務めます。
　| I will take the place of Mr. Smith and be the chairman for today.

～を紹介する
　ここで，ロビンソン博士をご紹介いたします。
　| Now, I am pleased to introduce to you Dr. Robinson.
　弊社からの出席メンバーを紹介いたします。
　| Please let me introduce the attendees from our company.

来賓として，～を紹介する
　では，つぎの来賓のかたとして，ロビンソン博士をご紹介いたします。
　| I would like to now introduce our next guest, Dr. Robinson.

～さんは～をしてくださる
　みなさま，つぎにスミス氏をご紹介いたします。同氏からは大会の開催の辞をいただきます。では，スミス氏，よろしくお願いします。
　| Ladies and gentlemen, I now have the great honor of introducing Mr. Smith. He will deliver his opening address to this conference. The floor is yours, Mr. Smith.
　| ＊― honor は「尊敬」「敬意」という意味です。show him honor「彼に敬意を表する」というように使用します。

～の業績を紹介する
　ただいまから5人の講演者のかたがたの業績をご紹介いたします。

> I would now like to share with you the distinguished achievements of our five members.

～さんからの～があります

みなさん，スミス氏からのご挨拶があります。
> Ladies and gentlemen, Mr. Smith shall now address you.

～さんを紹介します。～さん，どうぞ

さて，最後にお話をしてくださいますジョンソン氏をご紹介させていただきます。ジョンソンさん，どうぞ。
> I now have the pleasure of introducing to you the last of our distinguished speakers, Mr. Jonson. Please.

順番に自己紹介をしてほしい

順番に自己紹介をしていただけませんか。
> Could each of you please introduce yourself in turn?
> ＊— turn は名詞で，「順番」という意味です。in turn は通例，文尾で用い，「交替で」という意味です。

❸ ―進行役や書記，タイム・キーパーの選出と紹介を行なう

　英語のミーティングでは，英語を母国語と同様に使いこなせる人物を進行役（ファシリテーター）や書記として選出するとよいでしょう。また，ミーティングを時間内ですみやかに行なうためにも，タイム・キーパーはなくてはならない存在です。

　　　　　　　　　＊　　　　　　＊　　　　　　＊

どなたか，～を引き受けてほしい

どなたか，記録をとる役目を引き受けるかたはいらっしゃいませんか。
> Would anybody like to volunteer to take notes?

書記役が必要ですが，どなたか引き受けていただけるかたはおられますか。
> We need somebody to take notes. Would anyone be willing to do it?

〜さん，〜を引き受けてほしい

スミスさん，司会を引き受けていただけませんか。
> Mr. Smith, will you please take the role of Chairman?

ブラウンさん，タイム・キーパーを引き受けていただけませんか
> Mr. Brown, could you please take the role of our time-keeper?
> ＊― role は名詞で，ここでは「役割」という意味です。

〜をお願いしたい

ブラウンさん，記録をお願いしたいのですが。
> Mr. Brown, we would like to ask you to take notes.

〜を務めていただけませんか

どなたか書記役を務めていただけませんか。
> Would anyone be willing to take notes?

〜と思いますが，いかがですか

山田さんにタイム・キーパーをお願いしたいと思いますが，いかがですか。
> I would like to ask Mr. Yamada to be the time keeper. Is this OK with everyone?

〜さんに〜の役を委ねた

モーガン氏がアップル・プロジェクトの担当者ですので，今日のミーティングの進行役をお願いします。
> As he is in charge of the Apple Project, Mr. Morgan is going to be leading today's meeting.

この分野での経験からして，鈴木さんに進行役を委ねました。
> Due to her experience in this field, I have asked Ms. Suzuki to serve as facilitator.
> ＊― due to ... は副詞的に用い，「〜のために」という意味です。この用法の場合，because of ... と置き換えることができます。

❹―閉会の挨拶をする

　国際会議など規模の大きい会議での閉会の挨拶は，社内会議のものと比較し，形式的なものが多くなります。閉会の挨拶を依頼されたときは，どうどうと話しましょう。

＊　　　　　＊　　　　　＊

閉会します

　これで閉会にいたしたいと思います。
> I would like to close this meeting now.

　私は，本会議が，このような提案が自由に発言できる理想的な場であることを申しあげ，閉会にしたいと思います。
> I would like to conclude by stating that this meeting is the ideal place to speak of these kinds of proposals openly.

　みなさまのご参加に感謝いたします。ほかに何もなければ，ここで終わりといたします。
> Thank you for your participation. I think we can end here if there is nothing else.

～に感謝している

　みなさまのご親切とご支援に対し感謝しております。
> We would like to thank you for your kindness and support.

　みなさまのご協力により本会議を実施できたことに，深く感謝しております。
> I appreciate your kind cooperation in carrying out this conference.

　議長として，みなさまのご出席に感謝いたします。また，議事日程を滞りなく進行できたことに喜びを申しあげます。
> As chairman, I would like to thank you all for attending and congratulate you all on the smooth completion of every agenda item.

*as ... はここでは前置詞で，役割や資格などを表わし，「～として」という意味です。

今後もご協力いただきたい
これからも引き続きご協力をお願いできればと思います。
> We appreciate and look forward to your continued support in the future.

～であればさいわいです
いくつかの話題となった事項が，みなさまのよりいっそうの興味と関心を引くことになればさいわいです。
> I would like to encourage your further interest in and attention to the several subjects that we have talked about.

～を願う
本会議での努力が，生産性の向上につながることを心から願います。
> I sincerely hope that the hard work of this conference leads to increased productivity.

懇親会があります
ご静聴に感謝いたします。閉会式後に懇親会があります。
> Thank you very much for your undivided attention. Please do join us for the reception which follows this closing session.
>
> *— do join のように，動詞の前に助動詞 do を添えて強勢を置き，命令文を強調することができます。

◆開会と閉会の挨拶〈サンプル文例〉

●開会

本日の司会を任されました高田宏と申します。プログラムに従い，本会議を進めさせていただきます。まず本日の日程をご説明したいと思いますが，みなさまにはご協力のほどをお願い申しあげます。本日は午前の部で本年度の事業計画についてご説明します。午後の部では，事業統合について議論いたしたいと考えております。

> I am Hiroshi Takada and I will serve as the chairman of this conference. According to the program, I am charged with all matters of this conference. I would like to ask for your kind cooperation as I review today's agenda. This morning I'd like to cover next year's business plan. In the afternoon session, I'd like to have a meeting to discuss the cooperative venture.

●閉会

今日の打ち合わせは，新プロジェクトの実施にともなう課題を検討するものでした。これが，第一歩になればよいと思います。これからさき，多くの課題が残されていますが，きょうの打ち合わせをとおして具体性が見えてきたと思います。本日の打ち合わせで出された課題は，次週からのワーキング・グループの活動のなかで取り上げるつもりです。

> Today's meeting was held to look into issues surrounding the realization of the new project. I believe this is a good first step. Though we still have a lot of things to do, I believe that today's meeting will provide us all with the clarity and details we need. We plan on addressing the issues raised at todays meeting in the working group starting next week.

実例から学ぶ❸
経営全般の基礎知識を身につける

　長いビジネス・キャリアのなかで私は，会社の売却にあたったこともあります。売却交渉には，売り手と買い手がチームを組んで参加します。私たちも，本社の責任者，社内コンサルタント，顧問弁護士と，現場の責任者である私も含む混成チームでこの売却交渉会議（M&A Meeting）に臨みました。本件は複数の会社の売却を伴う複雑な交渉で，多くのミーティングを重ねましたが，価格交渉のハイライトのみお伝えしましょう。

◆聞くべきことは，その場で聞く

　私の会社の売却交渉では，最新の貸借対照表（Balance Sheet）の株主資本である850万ドルのオファーを買い手側に提示しました。1週間ほどの検討期間ののち，先方から返ってきた返事は，「この会社の評価はマイナス」というものでした。

　本社トップは納得しないどころか，かんかんになって怒っています。「監査法人（Audit firm）がきちんと監査したバランス・シートに表示されている株主資本に，まったく何のプレミアムもつけずに誠意をもってオファーしたのに，マイナスの評価だとは何ごとだ。ふざけている」というのです。

　私もMBAをもつ社内コンサルタントに聞きましたが，まったく要領を得ません。私も，どういう計算でマイナスになったのか，その場で聞けばよかったのですが，「誰かわかっているだろうから，ミーティングが終わってから聞けばいいや」と，その場をやり過ごしてしまったのです。これが，じつは敗因でした。誰も，「評価がマイナス」の意味がわかっていなかったのです。

　言うべきことはきちんと言い，聞くべきことはその場できちんと聞き，「お互いの立場を明らかにする」というのが第一のポイントです。

◆会計だけではなく財務の知識も身につける

　二番目のポイントは，「数字に強くなる」ということです。
　ビジネスの基本言語は数字ですから，当然といえば当然です。日本にいる

ときからそれは意識していましたので，自分なりに会計の勉強などはしていました。しかし，それではじつは不十分だったのです。

私は，その後，ハーバード・ビジネス・スクールの上級マネジメント・プログラム（Advanced Management Program）に参加する機会を得て，徹底した幹部教育を受けました。そこで学んだことを応用してみると，この謎はいとも簡単に解けました。それは，こういうことだったのです。

会計上は，私の上司が言うとおり，株主資本は850万ドルでしたが，先方は，この850万ドルを初期投資のマイナスとみなし，この投資が将来，生み出すプラスのキャッシュを現在の価値に引きなおした総額とたしあわせた，現在価値（NPV＝Net Present Value）と呼ばれる数字による評価手法を取っていたのです。

その結果が「マイナス」なのであり，何も私の会社そのものの評価がマイナスであるということではありません。つまり，この投資は，先方の会社の社内基準を満たさない，という結論だったというわけです。こうした考え方は，会計ではなく，むしろ財務（Finance）分野の考え方です。会計が貸借対照表に代表されるように，どちらかというとお金を静的に捕らえるのに対して，お金を生き物としてダイナミックに見る手法で，欧米ではごく一般的なものの見方です。

謎解きをしてしまうと簡単なことですが，「あ〜，あのとき，このことが分かっていれば，もう少し，交渉をうまく展開できたかもしれないな」と考えるしだいです。

◆経営の基礎知識が成功のカギ

三番目のポイントは，数字のみならず「経営全般の基礎知識を身につける」ことの重要性です。

こうした売却交渉の場では，お互い全知全能をかけて立ち向かいます。日々の経営にも，MBAで教えられるようなマーケティング，会計と財務，人と組織，戦略，ビジョン，リーダーシップなどの基礎知識が役に立ちます。さまざまな状況でのミーティングを成功裏に運ぶためにも，経営の基礎知識をしっかり身につけて応用していただきたいと思います。

第2部

パティシパントの表現

参加者として議論しあう

Part Two : Participant Expressions—Discussing and Debating as a Participant

第2部の英文例はすべてCDに収録してあります。頭出し番号はCD26からCD78までです。

第2部 | パティシパントの表現

第1章
議題を提起する

———明瞭で簡潔な説明———　　　CD26

　議題は，議論やミーティング終了後のアウトプットを大きく左右します。参加者が情報を共有し，議論の方向性を確認できるよう，議題はミーティング開始時に必ず提示しましょう。限られた時間や条件で行なわれるミーティングでは，参加者のすべての発言に明瞭さと簡潔さが求められることは言うまでもありません。

1 — 提案を行なう

　問題解決を行なうミーティングでは，複数の提案を出しましょう。この段階では，提案を絞る必要はありません。一人が複数回，発言することが予想されますので，英語表現のバリエーションを増やしておくと役に立つでしょう。

＊　　　　＊　　　　＊

〜することを提案したい
顧客の意見を調査することを提案したいのですが。
| I would like to propose that we investigate customer opinions.
| I propose that we investigate customer opinions.
| I suggest that we investigate customer opinions.

〜について二つの提案がある
新規合弁事業について二つの提案（意見）があります。
| There are two opinions about the new joint venture.
| I have two suggestions about the new joint venture.

| I have two proposals regarding the new joint venture.

～するには二つの方法がある

あの会社と契約を結ぶには二つの方法があります。

| There are a couple of ways to make a contract with that company.

*― a couple of には,「二つの」や「二, 三の」という意味があります。「二つの」という意味を表わすときは, two を用いると誤解がありませんが, 略式では a couple of を使うことが多いようです。

～ということを正式に提案したい

ジェームズ株式会社と契約を結ぶべきだということを正式に提案したいと思います。

| I would like to officially propose that we make a contract with James Corporation.

～という動議を提出したい

ジェームズ株式会社と契約を破棄すべきだという動議を提出したいと思います。

| I'd like to move that we cancel the contract with James Corporation.
| Can I make a motion that we should cancel the contract with James Corporation?
| Let's make a motion to cancel the contract with James Corporation.

～についてどう思うか

顧客の意見についてどう思いますか。

| What do you think about customer opinions?
| How do you feel about customer opinions?
| Have you thought about customer opinions?

～してみてはどうか

この地域で新たなビジネスに取り組んでみてはいかがですか？

| How about starting your new business in this area?

今回のプロジェクトに参加してみてはいかがでしょう。

| *— participate in で「参加する」や「〜に加わる」という意味になります。
| Would you consider participating in this project?
| Why don't we participate in this project?
| Couldn't we participate in this project?

〜は叩き台である

これは，討議の出発点として利用するための叩き台です。

| This is a first blueprint for us to use as a starting point for our discussion.

〜は原案である

この資料は，話し合いの原案です。

| This paper is a blueprint that can give us something to talk about.

〜の共通基盤とするために用意した

これを私たちの話し合いの共通基盤とするために用意しました。変更していただいてもかまいません。

| I have prepared this as a basis for our discussions, but you can change it as you wish.

〜に対して〜を提出する

議長，その提案に対して改正案を提出いたします。

| Mr. President, I would like to propose an amendment to the motion.

2—資料を説明する　　　CD27

　資料を提示すると，参加者に発表内容をより明確にしたり，発言の信憑性を高めたりすることができます。提示する際は，資料使用の目的や概要を口頭で説明し，参加者が資料の何に着目すればよいかを明確にすることが重要です。

　　　　　　　＊　　　　　＊　　　　　＊

〜は〜の統計の一部である

これらはITマネジメントの統計の一部です。

| These are part of the statistics on IT management.

〜を参照してほしい

会議のまえに配布した添付資料をご参照ください。

| Please refer to the attached material we distributed before the meeting.

＊— refer to ... で，「〜（本など）を参照する」という意味です。look up ... も同様の意味で用いられます。

〜について述べている

この論文は，技術革新について述べています。

| This paper describes innovation.

〜の論証を試みている

この論文は，技術革新の論証を試みています。

| This thesis tries to demonstrate innovation.

〜を要約してある

この報告書は，新素材の開発について要約してあります。

| This report summarizes the development of the new material.

この論文は，学会誌の記事の要約になっております。

| This is a synopsis of the article in the academic journal.

＊— synopsis は「概要」という意味で，summary と同様の意味で用いられます。

〜の比較をしてある

この報告書は，市場規模の比較をしています。

| This report compares the size of the market.

〜の概要である

この研究論文は，先月，「国際科学」誌で発表された記事の概要です。

| This research paper is a brief summary of an article published

第1章　議題を提起する　83

| last month in "The Review of International Science".

~を調査したものである
この報告書は，文献を調査したものです。
| This report is a literature review.
| This report reviews the literature.

~について書かれたものである
その報告書は，進行中の研究について書かれたものです。
| The report is work in progress.
| *in progress は，「進行中」や「継続中」という意味です。

3―質問する〈追加説明を求める〉　　CD28

　質問をする際は，相手に「追加の説明を求めている」ことがわかるよう，端的に表現しましょう。手順としては，質問があることを相手に伝えたうえで，質問の具体的な内容を説明する必要があります。

＊　　　　＊　　　　＊

質問がある
質問があります。
| I have a question.
質問をしてもよろしいでしょうか。
| May I ask a question?

~について尋ねたい
いまの提案についていくつかお尋ねしてよろしいでしょうか。
| Could I ask you a few questions about this topic?

もう少し詳しく知りたい
もう少し詳しく説明を願います。
| Could you explain it in a little more detail?

~を詳しく聞きたい
その件が正しいとする説明を，もう少し詳しくお聞かせいただきたい。
| I would appreciate your further explanation to justify the issue.

もう少し詳細な〜はないか
もう少し詳細なデータはありませんか。
> May we have more detailed data?

〜をもう一度聞かせてほしい
ご提案の最初の部分をもう一度お聞かせ願えませんか。
> Would you be kind enough to repeat the first part of your argument?
>
> *— enough to ... は，「〜するに足りる」や「〜するにじゅうぶんな」という意味です。to のうしろには動詞がくることに注意しましょう。

〜の理由を聞かせてほしい
スミスさん，その提案に固執されるのはなぜでしょうか。その理由をお聞かせいただけますか。
> Mr. Smith, why do you hold to the proposal? Can you give us the reasons?

〜に達した理由を聞かせてほしい
スミスさん，その結論に達した理由をお聞かせくださいませんか。
> Mr. Smith, could you tell me the reason for reaching that conclusion?

〜に対する具体的なコメントがほしい
その課題に対するもう少し具体的なコメントをいただけませんか。
> Would you give a little more detailed comments on this issue?

具体例をあげてほしい
いくつか具体例をあげてくださいませんか。
> *— several は，「(少ない感じで) いくつかの」「(多い感じで) いくつもの」を意味します。うしろに名詞の複数形がくることに注意しましょう。
>
> Could you give us several detailed examples?
>
> May we have several detailed examples?

もし〜なら，どうか
仮に新製品の発売時期を再来年に延期したとしたら，どのような状況にな

るでしょうか。
> If we were to extend our sales period to 2 years later, what kind of situation would we be in?

〜のときは，どうなるのか
トラブルが起きたときは，どの部署が中心になって対応することになるのですか。
> If there is trouble, which division is in charge of resolution?

〜と〜の比較を行なったことがあるか
実験結果と理論的な計算の結果との比較を行なったことがありますか。
> Have you ever tried to make any comparison of your experimental results with theoretical calculations?

〜と言っているのか
私自身がじゅうぶんに理解しているか確認したいのですが，ほかに妥当な選択肢がないとおっしゃっているのですか。
> Let me see if I fully understand. Do you mean that there are no valid alternatives to choose from?

4―疑問を呈する　　　　　　　　　　　CD29

疑問に思った点は，ミーティングの最中に解決することが重要です。疑問を確認し，理解を共有することは，参加者全員にとって有意義なことです。しかし，発言の仕方によっては情報発信者への攻撃ととられる可能性もあるので，丁寧に発言するよう心がけましょう。

　　　　　＊　　　　　＊　　　　　＊

本当に〜なのか
本当にそうなのでしょうか。
> But can that really be said?

〜には疑念が残る
あなたの計画にはいくぶん疑念が残ります。
> I have some doubts about your plan.

～には疑問に思う点がある
あなたのプロジェクトにはいくつか疑問に思う点があります。
> I have some questions about your project.

～が疑わしいと感じている
私はあなたの計画が疑わしいと感じます。
> I think that your plan is questionable.
>
> *— questionable は，「疑わしい」や「疑問の余地がある」という意味です。

～を疑っている
私はこの結果を疑っています。
> I have some doubts about this result.

～には疑問がある
私たちは今回の提案については疑問があります。
> We have a question regarding this proposal.

～にかなり疑問の余地があると思う
この結果にはかなり疑問の余地があると思います。
> I think this result is very questionable.

かなり疑問の余地が残る～である
かなり疑問の余地が残る説明です。
> That is a questionable explanation.

～はまったく信じられない
あなたの言うことはまったく信じられません。
> I cannot completely believe what you mention.
>
> *— what you mention で，「あなたが言うこと」という意味です。what は先行詞を兼ねた関係代名詞で，what they said to you「彼らがあなたに言ったこと」というように使うことができます。

～は信じがたい
あなたのおっしゃることはちょっと信じがたいですね。
> Your statement is rather unbelievable.

あなたのプロジェクトに関する報告は信じがたいものです。

| I find your report on the project hard to believe.

～を～としては信頼できない
私たちはあなたをビジネス・パートナーとしては信頼できません。
| We cannot trust you as a business partner.

～は現段階では信頼できない
あなたの計画は，現段階では信頼できません。
| I cannot trust your plan at this stage.

～は期待できない
単純に科学的な観点から申しますと，そのような解決策は期待できません。
| From a simple scientific point of view, this kind of solution should not be expected.

～したとは言いがたい
スミス氏はその問題には触れましたが，解決策を完全に示したとは言いがたいと思います。
| Although Mr. Smith has touched on the subject, it is difficult to say that he has dealt thoroughly with the solution.
　*― thoroughly は副詞で，「完全に」「徹底的に」という意味です。

5―質疑に応える　　　　　　　　　　　CD30

的確な質問に対しては，指摘してくれたことへの感謝の気持ちを表わしましょう。また，その場で答えられない質問に対しても，のちに調べて報告するなどの誠実な姿勢を相手に示すことがたいせつです。

　　　　＊　　　　＊　　　　＊

～は答えるのがむずかしい
そのご質問は，お答えするのが非常にむずかしいです。
| The question is extremely difficult to answer.

～関しては説明する必要がある
最初のご質問に関してですが，まず市場占有率の拡大について説明する必

要があります。
> As to your initial question, I should first explain about expanding the market share.

＊— as to ... は「〜について」という意味で，about と同様の意味で用いられます。

〜の質問をもう一度してほしい

3番目のご質問をもう一度お聞かせください。よく理解できませんでした。
> I would like to have the third question repeated. I could not really understand it.

質問をくり返してほしい

もう一度，ご質問をお願いいたします。
> Would you please repeat the question?

すみません。ご質問の最初の部分を聞き逃してしまいました。もう一度，くり返していただけませんか。
> I am sorry. I missed the first part of your question. Would you repeat it?

〜はとてもよい質問である

とてもよいご質問です。
> That is a very good question.

〜を指摘してもらい感謝している

その点をご指摘していただき，ありがとうございます。
> Thank you for addressing this point.

第2部　パティシパントの表現

第2章 相手の意見に反応する

――率直な感想と意見―― CD31

　ミーティングでは，参加者の率直な意見交換が望まれます。その際，多くの人が意見交換できるよう，短い時間で端的に発言する必要があります。意見を述べるときは，はじめに結論を提示し，その後に結論を説明する根拠や方法について述べましょう。

1―同意〈賛成・支持・容認〉する

「同意」の程度によって，表現が異なります。自分が意図する「同意」の程度を英語で表現することができるよう，度合いに合わせていくつかの表現を覚えておきましょう。

　　　　　　　＊　　　　　　＊　　　　　　＊

～に賛成する

　その提案に賛成致します。

> ＊― 「賛成」を表現するには，agree with … , be in favor of … , be for … などの表現を用いることができます。いずれもうしろに名詞/代名詞がくることに注意しましょう。

| I agree with the proposal.
| I'm in favor of the proposal.
| I'm for the proposal.

～であるという～の意見に賛成する

　会員の個人情報をどのように保護するのかが重要な課題である，というスミスさんのご意見に賛成いたします。

I agree with Mr. Smith's opinion that protecting the personal information of members is an important concern.

〜と同意見で，修正する点はない

スミス氏とまったく同意見で，ほかに修正する点はありません。

I fully agree with Mr. Smith and I think there is nothing to amend at this point.

〜の動議を支持する

議長，私たちの代表団はその動議を支持いたします。

Mr. President, our delegation is pleased to agree to the motion.

＊― motion には「動作」という意味がありますが，ビジネス・シーンでは，「動議」「提案」という意味で用いられます。上の文例では，後者の意味で用いています。

〜の提案を支持する

私はその提案を支持します。

I can support that proposal.

原則的に賛成だ。しかし〜

原則的に賛成です。しかし〜

I agree in principle, but …

〜には同意する。けれども〜

あなたの意見については同意いたします。けれども〜

I would tend to agree to your opinion. However, …

＊― tend to … は，「〜する傾向がある」や「〜しがちである」という意味です。

〜にまったく同感である

はい，あなたの考えにまったく同感です。

Yes, I absolutely agree with your idea.

まったく〜の言うとおりである

まったくあなたの言うとおりです！

You are completely right!

完全に〜の考えに賛成である
あなたの考えに完全に賛成です。
| I completely agree with your idea.

それこそ，まさに〜である
それこそ，まさにわが社の言わんとしていたことです。
| That is exactly what our company wanted to say.

いくつかの点を除いては，〜に賛成である
いくつかの点を除いては，あなたの意見に賛成です。
| Except for some aspects, I support your opinion.

*—except を文頭で用いる場合は except for ... の形で使い，「〜を除いて」という意味になります。

| There are only a few things about your idea that I cannot agree with.

ほとんど〜に賛成である
あなたの提案にはほとんど賛成です。
| I agree with almost all of your suggestions.

〜に関してとくに疑義はない
あなたがたったいまおっしゃったことに，とくに疑義はありません。
| I have no doubt about what you have just said.

とくに反対はしない
とくに反対はしません。
| I do not have any particular objections.

2 — 理解〈肯定〉を示す　　CD32

とくに国際的なミーティングの場では，立場を明確にすることが好まれます。意見を聞かれた際は，自分の考えを明らかにしましょう。理解の程度に合わせた表現を使い分けることができれば，より正確に自分の意思を伝えることができます。

　　　　　＊　　　　　＊　　　　　＊

～に異議はない
それにつきましても，異議はありません。
| I have no objection to that either.

～の意味は理解している
ええ，おっしゃる意味はじゅうぶんに理解しております。
| Yes, I think I fully understand your point.

同様に感じている
私も，それが重要な課題であると感じています。
| I also feel that that is a critical subject.

～の立場は理解できる
あなたの置かれている立場は理解できます。
| I understand the stance you are in.

～は承知している
この件は，あなたにとってむずかしいことは承知しております。
| I understand this issue must be difficult for you.
| ＊— must には，義務や命令を表わす「～しなければならない」という意味のほかに，必然性や推量を表わす「～にちがいない」という意味があります。上の文例では後者の意味で用いられています。

～であることは想像がつく
あなたにとって，これが非常に気がかりなことは想像がつきます。
| I can imagine that this must occupy much of your thoughts.

～が言わんとすることも少しは理解できる
あなたの会社が言わんとすることも少しは理解できますが，……
| We understand a little of what your company is saying, but …

部分的には理解できる
部分的にはあなたの意見を理解できます。
| I understand your opinion only partially.

～はグッド・タイミングである
新しい技術に関する話題は，非常にグッド・タイミングな論議でした。

| The issue of new technology has been a truly timely discussion.

3—反対〈否定・不賛成・不支持〉する　　　CD33

　反対を示す場合には，相手の発言のどの部分に同意できないのかを明らかにすることが重要です。意見を聞かれた場合には，最初に結論を述べ，つぎにその理由を説明するようにしましょう。

　　　　　　＊　　　　　＊　　　　　＊

～に関しては，～の意見に反対する
　その事項に関しては，スミス氏の意見に反対いたします。
| I disagree with Mr. Smith on that issue.

～まで，～に賛成しない
　議長，個人情報保護の問題に関してじゅうぶんな検討がなされるまで，その提案には賛成いたしかねます。
| Mr. President, I cannot agree to the proposal until we have fully examined the issue of protecting personal information.

まったく同意できない
　工場を海外に移すという提案には，まったく同意できません。
| I cannot agree with the suggestion to move the factory abroad.

完全には～に同意できない
　完全にはあなたに同意できません。
| I cannot agree with you 100%.

～の理由から認められない
　予算不足の理由から，あなたの提案を認めることはできません。
| Due to budget shortages, we cannot accept your proposal.

～を支持できない
　この問題に関して私はあなたを支持できません。
| I cannot help you with this issue.

現段階では～を支持できない
　現段階ではあなたを支持できません。

I cannot offer you my support at this time.

*— offer ~（人）...（モノ・こと）で,「人に物を提供する」という意味です。

～の意味することが理解できない

あなたの意味することが理解できません。

I do not catch what you mean.

～は何を述べたかったのか

正確には報告書であなたは何を述べたかったのですか。

What, precisely, did you wish to state in the report?

代替案がほしい

代替案を提案をしていただければさいわいです。

I wish that you would give alternative proposals.

4―中立を表わす　　　　　　　　　　　　　　　CD34

　ミーティングの席では，意見を明確に表現することが好まれます。しかし，考えがまとまっていないときや，賛成・反対の判断を回避したいとき，どちらにも同意できるときは，その旨を率直に伝えましょう。

　　　　　　　＊　　　　　＊　　　　　＊

～については正しいと思うのだが

この点については正しいと思いますが，……

You can state this point again, but ...

～に完全に賛成できるかどうかわからない

あなたの意見に完全に賛成できるかどうかはわかりません。

I do not know if I completely agree with your opinion.

～はいかがなものか

あなたの意見はいかがなものでしょうか。

Your opinion is not as it seems to be.

正しいが，～する必要がある

たしかに正しいのですが，他の部門について考慮する必要があります。

That may well be correct, but we still have to consider the other

divisions.
どちらとも言いがたい
この提案とあなたの提案は同じくらいよく，どちらが優れているとも言いがたいです。
> This proposal and your proposal are both very good, and it is hard to say which is better.

〜に関して賛成・反対の見解を述べるつもりはない
どの意見に賛成，反対という見解を述べるつもりはありません。
> I am not going to state which opinion I agreed or disagreed with.

どちらかに賛成，反対というわけではない
この問題に関するあなたがたの意見のどちらかに賛成，反対というわけではありません。
> I am not saying if I am for or against the pros and cons that you all may have concerning this issue.

ひいきはしていない
どちらの考えを支持するかについて，ひいきはしていません。
> We are not in favor of any particular idea.

＊― particular は，「特定の」や「とくにこの」という意味です。

5―問題点を挙げる　　　　　　　　　　CD35

問題点を列挙しただけでは，聞き手は，「何をすればよいのか」明確に理解することはできません。問題について言及したあとは，相手に回答や行動を求めていることがわかるような説明をしましょう。

　　　　　　＊　　　　　＊　　　　　＊

〜にはいくつかの問題点がある
サービス・レベル・アグリーメントの導入にはいくつかの問題点があります。
> There are some problems with the service level agreement.

～には少し問題がある

サービス・レベル・アグリーメントの導入には少し問題があります。

| We have a few problems with the service level agreement.

～するにあたって，問題が見つかっている

サービス・レベル・アグリーメントを導入するにあたって問題が見つかっています。

| Problems can be found with the service level agreement.

～には問題点が存在する

サービス・レベル・アグリーメントの導入には少し問題点が存在します。

| The service level agreement contains a few problems.

～には不十分な点が残されている

このプログラムにはいまも不十分な点が残されています。

| A lot of insufficient points still remain on this program.

このプロジェクトには，まだ調査しなければならないいくつかの点があるように思います。

| I think some points in this project still need to be investigated.

～はまだ検討する必要がある

あなたのおっしゃるとおりですが，いくつかの問題点がありますので，このプロジェクトはまだ慎重に検討する必要があります。

| You're exactly right, but we still have to examine this carefully because there are a few problems on this project.

6—反発する　　　　　　　　　　　　　　　CD36

　ミーティングは自分と相手の意見を共有する場所ですから，自分の意見を正直に述べるのは悪いことではありません。しかし，その場合も，ただ感情を述べるのではなく，論理的かつ冷静に反発の理由を説明することが重要です。

　　　　　　　＊　　　　　＊　　　　　＊

～はポリシーに合わない
あなたの言っていることはわが社のポリシーに合いません。
> What you are saying does not fit well with our company's policy.

～は不公平だ
その決定は不公平です。
> That decision is unfair.

正直なところ，あなたの提案は私たちに対して不利益だと思います。
> Honestly speaking, I think your proposal is costly for us.

＊― costly は「損失が多い」という意味です。そのほかに「高価な」という意味がありますが，本文では前者の意味で用いています。

～は不公平だと思わないか
この契約は私たちに不利益であると思いませんか。
> Don't you think that this contract is costly for us?

不公平な～には納得できない
率直に申しますと，この不公平な契約には納得できません。
> To be frank, I cannot accept this unfair contract.

～とは言いきれない
この合弁事業はぜったいに有益だとは言いきれません。
> I cannot say that this joint venture is entirely beneficial.

～は不利である
この条件はわが社にとって全体的に不利です。
> This condition is a disadvantage for our company as a whole.

＊― as a whole は，名詞のうしろにつけて「全体として」という意味で用います。

～はいつも不満を言う
あなたはいつも上司の決定に対して不満を言いますね。
> You always complain about our boss' decisions.

～と言ってもむだだ
そんなことを言ってもむだです。
> Expressing it is futile.

黙認できない
いつも遅れを当社のせいになさるが，今回ばかりは黙認できません。
> You always blame the tardiness on our company, but this time we are not going to keep quiet.

7─感情を示す　　CD37

自分の気持ちを英語で表現できるようになれば，発言する機会が増えます。文化的背景の違いから，感情を表わす英語表現が多少オーバーに感じられることもあるかもしれませんが，まずは慣れることです。

  ＊ ＊ ＊

ラッキーだ
私は本当にラッキーです。
> I am really lucky.

初耳だ
初耳で驚いています。
> I am surprised since this is the first I have heard of this.

～に驚いた
あなたの見解には，わが社はかなり驚きました。
> Your statement comes as quite a surprise to our Company.

～はすばらしい
あなたのアイディアはすばらしいです。それを私たちのプロジェクトに採用することは有益です。
> Your idea is great! I believe it would be most helpful in our project.

～に腹が立つ
役所の杓子定規なのには，まったく腹が立ちます。

第2章　相手の意見に反応する

| The office's inflexibility makes us very angry.

〜を残念に思う
あなたがこのプロジェクトの担当からはずれるとは、なんとも残念です。
| It is very sad that you are being taken off of the project team.

〜に感銘した
プロジェクトに真摯に参加していらっしゃるあなたに感銘しました。
| I was moved to see you taking such an instrumental part in the project.

さすがに〜である
さすがにあなたは問題の本質を見ぬいていますね。
| You have really understood the essence of this problem.

〜に困惑した
あなたの言葉で、私は困惑しました。
| What you said has me confused.

*— have 〜（人・もの）…（形容詞）で、「（人・もの）を〜な状態にさせる」という使い方をします。We have a taxi ready.「タクシーを用意してあります」というように用います。

〜に共感する
私たちはあなたの主張に共感しています。
| We can sympathize with your claim.

〜を心から理解している
あなたがどんなに気分を害されているか、心から理解しています。
| I really understand how bad you feel.

〜は察しがつく
この状況のもとであなたがどのようなお気持ちか、お察しできます。
| I can certainly appreciate how you must feel in this circumstance.

Teatime ❹

実例から学ぶ❹
冷静かつ長期的な視点で判断する

　私は，マレーシアの首都クアラルンプール支店の食料マネージャーとして初の海外駐在を体験しました。35歳での赴任でしたが，元気いっぱい，勢い勇んで赴任したのを昨日のことのように覚えています。しかし，そこでは，会社生活における最初の大きなチャレンジが待っていたのです。

◆相場の大暴騰に巻き込まれる

　私がおもに担当した商品はパーム油といい，マレーシアが計画経済のかけ声のもと，国益をかけて世界に売り込んでいた戦略商品でした。

　パーム油は，いわゆる相場商品でした。つまり，値段が刻々と変化するのです。この価格変動のリスクを最小限にするために，市場参加者は，シカゴの大豆油のような，もっとも価格連動性が高いと思われる定期市場にヘッジ（Hedge）を行ないます。

　ヘッジとは，パーム油のような現物（Cash）商品と反対取引，つまり現物を買っているのであれば定期市場で売り，現物を売っているのであれば定期市場で買う，というふうに逆をやり，価格変動のリスクを抑えようという取引のことを指します。しかし，なにぶん異なる商品ですので，市況によってはまったく異なった価格の動きをします。

　さて，市場関係者の熱い期待のなか，マレーシアのクアラルンプールに定期取引所が誕生しました。しかし，不幸なことに，誕生間もない小さな取引所は投機（Speculation）の対象にされてしまいます。相場は大暴騰し，売り手側と買い手側の果てしない戦いの末，売り手側が追証（Margin money）を払いきれなくなったところで，誕生間もない定期市場はあえなく崩壊してしまいます。この事件は，市場に大混乱を引き起こし，大量の契約不履行（Default）を引き起こしました。

◆債務者のプライドを尊重して実を取る

　私のいた会社も，数々の契約不履行に巻き込まれ，巨額の不良債権を抱え

込むことになります。そのときの現場の担当者が私というわけです。連日，債権回収のために，債務者の会社の社長を追いかける「夜討ち朝駆け」の生活が始まりました。

しかし，市場全体のメカニズムが崩壊しているのですから，個別の交渉では問題は解決しません。そこで，すべての債権者と債務者を集め，債権者会議（Creditors' meeting）の開催を決定しました。市場を大混乱させた責任者である債務者と，大量の未回収債権を負う債権者の集まりです。

会議は最初からヒートしています。しかし，私たちは，この場は責任追及集会ではなく，考えられるベストの解決策を冷静に模索する場であることを最初に伝え，感情を会議の場から排除する，という動きをしました。

また，債務者を非難するのではなく，彼の「プライドを尊重する」ように最大限の配慮をしました。このことで，債務者からは二つの有力な代替案が出て，会議は大きく進展しました。

仮にここで，当該債務者をつるし上げる，といった感情的な場を演出していたとしたら，ここまでの進展はなかったと思います。事前に，感情を廃しビジネスライクに議事を進めるから，と相手にじゅうぶんに伝えたことが成功の原因でしょう。

◆長期的な視点で判断する

さて，その有力な案とは，①債務の100パーセントを時間をかけて返済する，あるいは，②債務の30パーセントを即金で払う，の2案でした。

大半の債権者は①案を取りましたが，私たちは，当該債務者の復活のシナリオのシミュレーションを行ない，100パーセント返済の可能性は極めて低いとう結論に達し，②案の即金の選択肢をとりました。つまり，70パーセントの債権を放棄（Write off）する決断をしたわけです。

これで私のいた会社は大変な損失を蒙りました。しかし，結局この会社は復活のための懸命な努力にもかかわらず倒産の憂き目にあってしまい，他の債権者は，最終的にはまったく債権を回収することなく終わってしまったのです。「冷静かつ長期的にものごとを見て判断する」ことのたいせつさを身にしみて感じた事件でした。

第2部　パティシパントの表現

第3章
自分の意見を述べる

――明解な見解と主張――　　CD38

　ミーティングで発言する場合，明確な根拠をもって意見を表明できる場合もあれば，質問に対して明確な答えを述べることができない場合もあるでしょう。意見を述べる際は，明確に論点を伝えられるように心がけましょう。また，答えることが適切ではないときは，その旨を表明すれば，参加者は理解を示してくれるはずです。いずれの場合も，発言を行なう際は自分の意見をわかりやすく伝えましょう。

1―立場を明らかにする

　発言が，組織を代表するものなのか，部署を代表するものなのか，あるいは個人のものであるのかを，進行役や他の参加者にわかるよう明確にしなければなりません。あなたの所属する組織の見解などを述べるときは，あなたがその組織を代表しているという旨をはっきりと伝えましょう。

　　　　　＊　　　　　＊　　　　　＊

〜の一員として
メンバーの一員として，現在の問題について意見を述べます。
> As one of the members, I'd like to express my opinion on the problem we are now dealing with.

〜を代表して
マネジメントグループを代表して，同プロジェクトの途中経過を報告いたします。
> Representing the management group, I would like to report on

the progress of this program to date.

～は私個人のアイディアである

これは私個人のアイディアです。グループのほかのメンバーから賛同が得られるかどうかは約束できません。

> This is just my personal idea. I can't guarantee that it will obtain support from the rest of my group.

＊the rest of ... で,「～の残り」という意味です。

～は個人的な意見で, ～を代表しているわけではない

これは私の個人的な意見で, 他の社員を代表しているわけではけっしてありません。

> This is my personal opinion, and doesn't necessarily reflect how other people in my company might think.

組織としての見方を～する

この提案について, 私の組織の見解を示したいと思います。

> I would like to share my organization's view on this proposal.

個人の～ではなく, 組織としての～である

これは私の個人の提案ではなくて, 組織としての合意事項です。

> This is not just my personal proposal. It is the consensus of my section.

事前に社内で相談した結果, ～と考える

事前に社内の人間で相談しましたが, それについてわが社ではつぎのように考えております。

> I talked with my colleagues in advance, and here's what people in our company are thinking about.

～する許可はすでに社内で得ている

この点で合意する許可はすでに社内で得ています。

> I've already gotten the permission from my colleagues to agree to this point.

＊― colleague は, 専門職や公職にある人の「同僚」「仲間」という意味です。

2—要求を伝える　　　　　　　　　　　　　　　　　CD39

　相手に要求を伝える場合は，できるかぎり具体的に要求の内容を示しましょう。たとえば，目標数値を示したり，期限を明示したりすることで，相手が行動をとりやすくなります。要求を伝える相手の立場に立って伝達を行なうことで，その後の結果も変わってくるはずです。

＊　　　　　＊　　　　　＊

すぐにでも〜をいただきたい

　すぐにでも正しい情報をいただきたいです。

> I would like to get exact information right away.

もしよろしければ，〜したい

　もしよろしければ，あなたのご発言を英語に翻訳したいと思います。

> If you do not mind, I wish to translate your comments into English.

　＊—mind は，「〜を嫌だと思っている」や「気にする」という意味です。

〜を〜してほしい

　顧客の意見も調査してください。

> Please investigate customer opinions as well.

〜を〜しないでほしい

　私たちの意見を誤解しないでください。

> Please do not misinterpret our statement.

ぜひお願いする

　ぜひ，そうお願いします。

> Please do that.

できるだけ早く〜してほしい

　とにかく，できるだけ早く利益を20パーセント増やしてください。

> Anyway, please increase profit by twenty percent as soon as possible.

～を望んでいる
この複雑な状況をご理解いただき，私たちのプロジェクトのコンセプトを理解してくださることを望んでいます。
> I am hoping that you understand these complicated circumstances and understand our projects' concept.

～を強く要求する
人員削減を強く要求します。
> I strongly request a reduction in our work force.

～の導入を要求する
SCMの導入を要求します。
> I insist on the introduction of SCM.
> ＊─SCM は，supply-chain management の略です。

～を理解したうえで，～していただきたい
いくつかの要点をご理解のうえ，効果的な実施方法を考えていただければと思います。
> You are asked to think about several points and to consider how we can implement them effectively.

3─確信を述べる　　CD40

主張を相手に納得させるためには，発言者が自信をもった態度で意見を述べる必要があります。強調して伝えるべき点は，強調しているポイントが相手にはっきりとわかりやすい表現を用いましょう。

＊　　　＊　　　＊

～と確信している
つぎの国際会議までに私は明確なレポートができると確信しています。
> I definitely think that I can have a clear report ready by the next international meeting.

～すべきだと強く思う
私は，推薦すべきだと強く思います。

> I definitely think we should recommend it.

〜のまえに〜しなければならない

多くの損失を出すまえに見切りをつけなければなりません。

> We have to stop this project before we suffer a loss.
>
> *— suffer ... は「(損害など) をこうむる」という意味です。

早急に〜すべきである

早急に白紙にもどし，つぎのビジネス計画を考えるべきです。

> We should start all over again and begin thinking about the next business plan as soon as we can.

〜を覚悟してでも，〜すべきである

損失をある程度，覚悟してでも，このビジネスに取り組むべきです。

> We should try new ventures even if it means risking failure.

〜が何よりもたいせつだ

顧客の満足度が何よりもたいせつなのです。

> Customer satisfaction is more important than anything else.

いちばんたいせつなことは〜である

いちばんたいせつなことは顧客を満足させることです。

> The most important thing is to satisfy our customers.

〜が必要不可欠である

消費者を満足させることが必要不可欠です。

> It is essential that we satisfy our customers.

私が言いたいのは〜の必要性である

私が言いたいのは新しいマーケティング戦略の必要性です。

> What I want to say is that a new marketing strategy is absolutely necessary.

〜の重要性を強調したい

私たちの協力の重要性を強調したいと思います。

> I would like to emphasize the importance of our cooperation.

〜する必要があることを強調したい
私たちはお互いに協力する必要性が本当にあるのだということを強調したいと思います。
> What I would like to emphasize is that we really need to cooperate with each other.

〜と言うほかはない
その計画の実施はむずかしいと言うほかありません。
> There is no other way to say it -- realization of this plan is difficult.
>
> *― realization は,「(希望や計画などの) 実現」「達成」という意味です。

言うまでもなく〜である
言うまでもなく,その計画の実施は困難です。
> Needless to say, it is difficult to realize the project.

〜であることは言うまでもない
この事項に対する関心と期待が高いことは言うまでもありません。
> At this point, there is no need to say how much interest and expectations there are.

〜こそ,まさに核心である
これこそ,まさに核心です。
> This is precisely the point.

4―推測を述べる　　　　　　　　　　　CD41

今後のことについて,現時点ではまだ確定的ではないことを述べるときは,あくまで予測の範囲内で意見を述べているということを他の参加者にわかっておいてもらわなければなりません。あとになって誤解を招かないように,推測であるということをまえもって明示しましょう。

＊　　　　＊　　　　＊

〜の見込みがある
私は,新規事業計画は成功の見込みがあると確信しています。

> I definitely think there is a good chance of success in the new venture.

～の見通しは明るい

食品部門の将来の見通しは大変に明るいと断言できます。

> It is clearly okay to say that the future prospect of the foods department looks bright.

～のチャンスがあるかもしれない

私たちのマーケティング戦略次第で，将来的に成功のチャンスがあるかもしれません。

> Depending on our marketing strategy, we might well succeed in the future.
>
> *―may＋動詞あるいはmight＋動詞で「～かもしれない」という意味になります。

はじめは～だろう

はじめは，効果は薄いでしょう。

> There won't be much of an effect at first.

あと～くらいで～になると思う

私たちのシステムでは，あと1週間くらいで顧客の要求に添えるようになると思います。

> Our system can meet our customers' requests in about one week.

～かどうかは疑問だ

組み立て作業のシステムがうまく機能するかどうかは疑問です。

> Whether a new assembly system will function well is questionable.

～は容易に予測できない

この種のことは，容易に予測できるものではありません。

> It's not easy to predict this kind of thing.

～する恐れがある
この問題はかなりの広範囲に波及する恐れがあります。
> We are afraid that this trouble will extend over a fairly large area.
>
> *— fairly は，形容詞や副詞を修飾して「かなり」「相当に」の意味で用います。

このままでは，～に追い込まれる
このままですと，どうしようもない事態に追い込まれます。
> We'll be left in a fix if we go on this way.

～の可能性は～である
この1か月以内に完成する可能性は半々くらいです。
> There is about a fifty-fifty chance of accomplishing it within one month.

～すれば，～できると思う
われわれの全ビジネス・プランは，急げば半年で完成できると思います。
> We think we can finish our entire business plan within six months if we hurry.

～の気配がある
この打ち合わせの内容を新聞社にかぎつけられた気配があります。
> We have indications that the press knows what's going on at this meeting.
>
> *— indications は「徴候」「気配」という意味で，うしろに that 節や as to などを用いて内容を記します。

～と思われる
いまのところ，わが社への直接の影響はないものと思われます。
> It seems that there will be no direct influence on our company for the present moment.

～しなければ，取り返しのつかないことになる
いまのうちに何とかしなければ，取り返しのつかないことになります。
> Unless you do something now, it'll be too late.

~にならなければ，~の状況は変わらないであろう────────
　活動的にならなければ，経済的な状況は変わらないでしょう。
　　| If we are not active, the economic situation will not change.

5 ― 現状を述べる　　　　　　　　　　　　　　　CD42

　現在の状況について述べる場合，まずは簡単に事実を説明します。その後，より詳細な内容について述べるように心がけましょう。事実をわかりやすく他の参加者に伝えることによって，ミーティングのアウトプットに差が生まれてくるでしょう。

　　　　　　　　＊　　　　　＊　　　　　＊

~は，すでに~している────────
　次回の国際会議については，実施案はすでに手配されています。
　　| Our working plan has already been arranged for the next international meeting.

~の水準にまでいっていない────────
　ITの普及率については，欧米の水準にまでいっていません。
　　| IT has not yet reached the same level of penetration as we see in the US.
　＊―yet は，否定文では「いまはまだ」「まだ」という意味で用います。

~にいささかの変更もない────────
　サービス・レベル・アグリーメントに取り組むという当社の決定には，いささかの変更もありません。
　　| There is no change in our company's decision to deal with a service level agreement.

~のバランスが保たれている────────
　現段階では収入と支出のバランスが保たれています。
　　| For now, we keep a balance between income and expenditure.

~を開始したところである────────
　わが社は業績評価マネジメントを開始したところです。

第3章　自分の意見を述べる

| Our company has just started measuring corporate performance.

～が軌道に乗ってきたところだ
この支店の陣営も軌道に乗ってきたところです。
| This branch has just started off along the right lines.

～の状況にある
このプロジェクトは現在，憂慮すべき経済的危機の状況にあります。
| This project is in a serious economic situation at the present time.

～が発生した
受け入れがたい問題が発生しました。
| An unacceptable problem has occurred.

～が実情である
現在の私たちの状況では，深刻な経済危機に対して打つ手がまったくないのが実情です。
| In our present condition, we can do nothing against a dire economic situation.

～しようとしている最中である
深刻な状況に打ち勝つための解決策をなんとか見つけだそうとしている最中です。
| I am in the middle of finding a resolution to a serious situation.

6―相手に意見を求める　　　　　　　　　　　　　　　CD43

　他の参加者が考えつく意見をどれだけ導き出すことができるかが，ミーティングで成功するカギとなります。相手を混乱させないよう，質問の論点を絞り，何を聞こうとしているのかがわかるように端的に質問をしましょう。

　　　　　　　　＊　　　　　＊　　　　　＊

～についてどう思うか
この報告書についてどのように思いますか。

| What do you think about this report?

意見を聞きたい
さきに, みなさまのご意見を伺いたいと思います。
| We would like to hear your opinions in advance.
＊— in advance は,「まえもって」「あらかじめ」という意味です。具体的な時間は直前に置き, two weeks in advance「2週間前に」というように用います。

〜に関する意見を聞きたい
この提案に関するあなたのご意見をお聞かせください。
| I would like to know your opinion on that proposal.

〜を直接, 聞きたい
顧客の要求を直接, うかがいたいです。
| I would like to be directly informed of our customers' requests.

どのような〜をもっているのか
たとえば, どのような具体的なイメージをおもちですか。
| What kind of detailed image do you have in mind?

〜には何がもっとも望ましいと考えるか
この問題の解決には, いかなる方法がもっとも望ましいとお考えですか。
| What do you think is the best procedure for solving this problem?
＊— procedure は「手順」「行動」という意味です。

7—論点（と, その根拠）を述べる　CD44

論点と根拠を説明する場合は, まず結論となる論点を明確に述べ, そのあとに理由を説明するとよいでしょう。とくに理由が複数ある場合は,「理由が2点あります」などと伝えてから詳細を述べるようにしましょう。

　　　　　　　　＊　　　　＊　　　　＊

〜を再検討した結果, 〜を発見した
わが社でこの提案を再検討した結果, 財務上の問題を発見しました。
| When our company reconsidered this suggestion, we found a lot

of financial problems.

～な審査の結果，～を得ることができた
厳正な予算審査の結果，販売促進のための予算に承認を得ることができました。

> We got the sales promotion estimates approved at the strict budget audit.
>
> *― audit は「会計検査」や「審査」という意味です。

～の側面から検討した結果，～をした
あらゆる側面からこの問題を検討した結果，私たちにとっていちばんよいと考える選択をしました。

> We considered this problem from all sides and made what we believe to be the best choice.

～と考えるのは～だからだ
オリバー株式会社を選択するほうが妥当だと思います。というのは，オリバー株式会社の製品はコストが低く，高品質で，デザインがアメリカの消費者によく合っているからです。

> I believe that we should choose Oliver Corporation. Their production cost is low, their quality high, and their designs are well matched to American consumers.

～であると思う。なぜなら～
ラウンジを黄色に塗るのがよい選択だと思います。それには，三つの理由があります。

> I think it would be best to paint the lounge yellow. I have three reasons for this.

8 ― アクション・プラン（と，その方法）を述べる　CD45

アクション・プランを述べる場合，どのようにしてそのプランを実現させるか，方法も合わせて伝えましょう。具体的な方法も述べることで，アクション・プランの実現性が相手に高く受け止められるでしょう。

＊　　　　　＊　　　　　＊

目下，～を計画中である
目下，増産を計画中です。
> A production increase is in the planning stage at this time.

＊―上の文を we are planning a production increase. と言うこともできます。

～の予定がある
ポンド株式会社は，将来アジアに工場を開く予定があります。
> Pond Inc. is planning to open Asian plants in the future.

～して，～をしたいと考えている
もしよろしければ，アジア工場に専門家を派遣して，カンバン方式についての教育をしたいと考えています。
> With your approval, we would like to send a specialist to our Asian plants for teaching the Kanban system.

～を検討している
私たちは，アジアに従業員50名ほどの工場を作ることを検討しています。
> We are considering the establishment of a 50 person local plant in Asia.

9―発言を控える　　　　　　　　　　　　　CD46

ミーティングの時間と情報は限られていますから，必ずしもすべての質問に答えたり，意見を述べたりする必要はありません。不明な点や，その場で答えることが適切ではない点については，確認をとってあとで確実な回答をすることで，他の参加者からの信頼も増すことになるでしょう。

＊　　　　　＊　　　　　＊

～は差し控える
その件に関しましては，現段階ではコメントを差し控えたいと思います。
> Regarding that matter, we are not at the liberty to comment at this stage.

＊―at liberty to ... で「自由に～してよい」「～することを許されて」という意

味です。

～の立場にない
私はそのことについて自由にお答えできる立場にありませんので，発言を控えさせていただきます。
| I'm not in a stance where I can openly give answers about it, so I'd like to refrain from making any comments.

～の権限がない
申しわけありませんが，割引率を決定する権限は私にはありません。
| I'm sorry, but I don't have the power to decide price reductions.

～なので，これ以上は言えない
それはわが社のトップ・シークレットなので，これ以上，明確に述べることはできません。
| I cannot share more details as it is our company's top secret.

極秘なので，～できない
極秘事項ですので，特定の詳細にふれて説明することができなくて申しわけございません。
| I am afraid that I cannot explain specific details since the matter is highly confidential.

10―言いにくい内容を述べる　　CD47

　ミーティングでは，ときには相手にとって快いものではない意見を述べなければならない状況もあります。このようなときこそ，相手を攻撃しているのではないことを理解してもらえるように，丁寧な表現を用いて相手に論点を伝えられるようにしましょう。

　　　　　　　＊　　　　　　　＊　　　　　　　＊

率直な言い方で申しわけないが
率直な言い方で申しわけありませんが，新しいビジネスはやめるべきです。
| Please excuse me for being direct, but I think we should quit doing new business.

| ＊― quit ... は「～をやめる」「～を中止する」という意味です。

一般的に言って
一般的に言って，このプロジェクトは実行不可能なものです。
| Generally speaking, this project is impossible to carry out.

～は最悪だ
昨夜の打ち合わせは最悪でした。
| Last night's meeting was a disaster.

～は，望みがほとんどない
あなたと顧客のスミスさんとの関係は望みがありません。
| Your relationship with Mr. Smith is hopeless.

もっと～できたはずである
先週の火曜日に行なった仕事は，もっと効率的に行なえたはずです。
| Our work last Tuesday was not as efficient as it could have been.
| ＊― could＋完了形は，「～することができたはず」という意味です。

あまりうまくいかなかった
昨晩の会議は，あまりうまくいきませんでした。
| The meeting last evening could have been better.

11―発言を訂正する　　　　CD48

発言内容に誤りがあったり，変更が生じたりした場合，そのまま放ったらかしにしては，他の参加者の信頼を損ねてしまいます。誤りをきちんと訂正したり，変更について報告したりすることで，逆に信頼性が高まります。

＊　　　＊　　　＊

～なので，前言は取り消す
私の表現が適切でなかったために誤解を招いたようですから，前言は取り消します。
| Please let me take back my previous remarks. I think I said something the wrong way and caused confusion.

議論の結果，〜を変更する──────────
さらに議論を重ねた結果として，つぎのビジネス・プランに関する提案を変更します。
> After further discussion, we have changed our thoughts about the next business plan.

検討の結果，〜とする──────────
部内で検討の結果，製造は外注に出さずに社内で行なうことにしました。
> After discussing it within our division, we have decided to perform the production in-house instead of outsourcing.

そういうことであれば，〜する──────────
そういうことであれば，当社からも何人かスタッフが出せるよう再検討しましょう。
> If that is so, we will reconsider dispatching some staff.

〜したことで考えが変わった──────────
精度が大幅にアップしたことで，この機器に対する考えが変わりました。
> Because the accuracy of this tool has gone way up, our thoughts towards it have changed.

これまでA案には反対でしたが，きょうのお話をうかがって同意できるようになりました。
> We have been against plan A, but after listening to the points today, we have come to accept it.

12──即答を避ける　　　　　　　　　　　CD49

　自分だけの判断では意見を表明することができない議題については，その場での発言は控えるようにしましょう。担当者や上司に確認をとり，確実な答えをすることが成功を導きます。

　　　　　　　＊　　　　　　＊　　　　　　＊

いますぐ答えるのはむずかしい──────────
いますぐにお答えするのはむずかしいです。

> It is rather difficult to answer immediately.
>
> ＊― immediately は，「ただちに」「すぐに」という意味です。at once や right away などと同様の意味です。

～なので，部分的にしか回答できない

最終的な研究成果がまだ出ておりませんので，あなたのご質問に対して部分的にしか回答できません。

> I can answer only part of your question because I do not yet have the final research results.

じゅうぶんな用意ができていない

現段階では，そのご質問にお答えするだけのじゅうぶんな用意ができておりません。お話しできるのは，新技術を開発中だということです。

> I am not fully prepared to answer your question at this moment. What I can tell you is that we are developing a new technology.

現時点では答えられない

申しわけありませんが，現時点では，そのご質問にお答えできません。ただ，次回の会議までには，しっかりとお答えできるように準備いたします。

> I am sorry I cannot answer your question at this time. I will have an answer ready before the next meeting.

～に確認のうえ～する

その件につきましては，営業部に確認のうえでお返事いたします。

> Regarding that issue, I will reconfirm with the sales department and get back to you.
>
> ＊― reconfirm は，「再確認をする」という意味です。

～なので，正確にはわからない

手元に詳しい資料がありませんので，正確にはわかりません。日本に帰り次第，メールにてお返事したいと思います。

> I don't know exactly because I don't have the detailed data with me. I will mail you once I get back to Japan.

実例から学ぶ❺
ビジョンと戦略を示す

　私がインドの日印合弁会社に出向したのは，1999年から2000年にかけてでした。ハーバード・ビジネス・スクールの上級マネジメント・プログラム（Advanced Management Program）での経営者育成訓練を終えた私に与えられた最初の仕事（Assignment）が，インドへの出向（Secondment）でした。私に課されたミッションはひとつ，この歴史的事業の再建を図る，というものでした。

◆明るい未来の絵を提示する

　この合弁事業は，インドのある起業家が始めたもので，インドの主要都市に近代的な冷凍倉庫を建設し，同国の物流インフラの整備を図るという，非常に意義のあるものでした。インドを代表する日用品・食品の最大手と，私がいた日本の親会社が主な出資者となって合弁を立ち上げました。

　しかし，最新鋭の設備（State-of-the-art facility）への出資，建設の遅れ，その結果としての収益（Revenue）の低迷から，借金まみれとなり，放置すれば，債務不履行で倒産してしまうところまで，追い詰められてしまいます。しかし日本側は，この事業の将来性と意義を理解して増資引き受けを決定，少数株主から一気に過半数を握る最大株主として，経営責任を負うという立場に立ったのです。

　当時，この会社では，長期にわたって負債を抱え続けた結果，金利が金利を発生させ，借金が雪だるまのように膨らんでいて，本社の社屋はぼろぼろ，給料の不払いも頻繁に起こしていました。取締役会出席のためにニューデリーに出張したインド人社長は，帰りの飛行機代もないようなありさまでした。私が赴任したのは，まさにこうしたなかで，人心は疲弊しきっていました。将来を悲観して会社を去った社員も多くいました。

　私は，さっそく債務の徹底した洗い出しと，関係金融機関との債務値引き交渉にかかりました。しかし，社員と対話を重ねれば重ねるほど，いま，この会社にもっとも必要なことは，社員に対して，まず明るい未来の絵を見せ

ること，つまり，「社員を鼓舞する」ことだと考えました。そこで，一計を案じ，赴任した年の12月，クリスマスの時期に，インド全土から冷凍倉庫のマネージャーたちを本社へ召集し，2日間の幹部会議（Managers Meeting）を開くことにしました。

　会場にしたホテルはできるだけ安いところにし，部屋も相部屋にしてもらいました。これは，経費節減という狙いももちろんあるのですが，会社が置かれた厳しい状況を再度，理解してもらい，再建のための協力を誓ってもらう，という意味のほうが大きかったのです。舞台の設定をした，ということができると思います。

◆自信をもってビジョンを示す

　会議の席では，増資の結果，会社は生まれ変わる，債務は完済するし，冷凍倉庫の建設はどんどん進める，完成の暁にはインドの主要港に最新鋭の冷凍倉庫をもつ唯一最大の事業体になる，という「将来のビジョンを示し」ました。そして，そのビジョンを達成するための「戦略も示し」ました。

　こうした将来設計のためのミーティングでは，自信をもって明るい未来を語るという姿勢がたいせつです。社員は，暗く長い冬を経てきたわけですから，当然，悲観的になっていたり，猜疑心をもったりしています。厳しい質問も飛んできます。しかし，そんなときでも，ためらいなく，明確にきっぱりと自信をもって明るく答える，これがたいせつです。

　私は，自分からのメッセージとして「スピード，単純さ，自信」の3S（Speed, Simplicity, Self-confidence）を強調しました。これは，General Electricの前会長で20世紀を代表する経営者といわれるジャック・ウエルチ（Jack Welch）の言葉です。いろいろ考えた末に，偶然同じになったのですが，混迷期に長くあった会社に自信と新しい希望の光を与えるKey Messageとしては，もっともふさわしかったのではないかと思います。

　私は，債務の減額交渉を行ない，すべての債務を完済し，将来の戦略を立てたうえで，この事業を後任に託しました。あれだけ赤字で苦しんだこの事業は，今や日印合弁事業を代表する優良企業になっています。その原点が，1999年12月のこの幹部ミーティングだったと思っています。

第2部　パティシパントの表現

第4章 意見の相違を調整する

―――建設的な意見交換―――　　CD50

　ミーティングは一人で成り立つものではありません。参加者が多ければ多いほど，さまざまな意見が出てくるでしょう。異なる意見を調整する際は，ややもすれば議論がヒート・アップする可能性も含んでいます。このようなときこそ，全体の利益と相手の立場とを考えて発言することが重要です。

1―誤りを指摘する

　ミーティングの時間をむだにしないためにも，疑問を感じたら，できるだけ早く解明しましょう。誤りを指摘するのは勇気がいることですが，誠意をもって伝えれば，参加者全員にとって有益な情報になるでしょう。

　　　　　＊　　　　　　＊　　　　　　＊

～に関して間違っている

今回の件に関して，あなたは間違っています。
　| You are not correct on this matter.
この提案については，あなたは間違っています。
　| You are wrong about this proposal.

～については完全に間違えている

あなたは完全に間違っています。
　| You are absolutely wrong.
会議であなたが述べたことについては，完全に間違えています。
　| What you mentioned in the meeting is completely wrong.

思い違いではないか

単純にあなたの思い違いではないでしょうか。

> I think you are simply mistaken about that.

数字が違っている

いまおっしゃった金額は，この資料に出ているものと違いますよ。

> The amount that you just mentioned is different from the one in this data.

〜という現実を無視している

製造部門は，企業は利益を上げなければ存続できないという現実を無視しているのではありませんか。

> The production department is ignoring the fact that business must make a profit in order to continue running the business.
>
> *― run は，「（業務などを）管理する」「（会社などを）経営する」という意味があります。

非現実的である

その提案は，たしかに理想的ではありますが，はっきり言って非現実的だと思います。

> That proposal is ideal, but to tell you the truth, it is very unrealistic.

的はずれである

お言葉ですが，景気に関するその分析は，いささか的はずれではないでしょうか。

> I'm sorry, but the analysis on the market is probably not correct.

2 ― 誤りを認める

相手の指摘を受け入れることは恥ずかしいことではありません。指摘してもらったことで自分自身にとっても，またミーティング全体にとっても利益があったと考えましょう。謙虚な気持ちで対応することがたいせつです。

＊　　　　＊　　　　＊

〜と認める
あなたの言ったことが事実であることは認めます。
> I admit that your remark is a fact.

〜は気がつかなかった
それは気がつきませんでした。
> I did not realize that.

見当がつかない
ナレッジ・マネジメント・システムをどうやって導入したらいいのかまったく見当がつきません。
> I have no idea about how to introduce knowledge management systems.

間違っていたので，早急に〜する
それは完全に当方の誤りです。したがって，こちらで早急に対処します。
> We know that it was completely our mistake. Therefore, we will deal with it as soon as possible.

こちらの間違いなので，〜する
それはこちらの間違いなので，私たちがすべての責任をとります。
> Since it was our error, we take all responsibility.

3—誤解を解く　　CD52

自分の意見が勘違いされていると感じたら，早急に誤解を解く必要があります。その際，誤解されている個所のポイントを整理して伝えましょう。参加者全員に再度，自分の意見を確認してもらううえでも，明確に表現しなければなりません。

＊　　　　＊　　　　＊

それはまったくの誤解だ
それはまったくの誤解です。
> That's a complete misunderstanding.

～の誤解を明らかにしたい
私たちの誤解を明確にしたいと思います。
> I would like to make clear our misunderstanding.

誤解があるようだが
どうも誤解があるようですが，私はこの提案の主旨には大いに賛同しております。ただ，運営方法に疑問があると言っているだけです。
> Though there seems to be a misunderstanding, I agree completely with the main point of the suggestion. I am just saying that there is a problem with its implementation.
>
> *— just は，「ただ〜だけ」という意味で用いられます。

そうは言わなかった
私はそうは言わなかったはずです。最初の3年間は，扱い品目を限定したほうがいいと言ったのです。
> That is not what I said. I said that for the first three years, we should limit the number of the items we handle.

～が理解していることとは違う
私の意図は，あなたが理解していることとは違います。
> My intent is different from your understanding.

～の責任を逃れるつもりはない
私は，その提案に対する責任を逃れるつもりはありません。
> I have no intention of avoiding the responsibility of the proposal.

4―矛盾を突く　　CD53

議論が複雑になるにつれて，ミーティングの最中に矛盾が起こる可能性も高まります。主張の一貫性，視点・論点の一致などは矛盾が生じやすい個所です。矛盾があると判断した場合，修正すべき個所を明確に示しましょう。

＊　　　　＊　　　　＊

～とまったく違う説明をしている
前回の会議では，あなたはまったく違う説明をしていました。何があった

のですか？
> You gave us a completely different explanation at the last meeting. What happened to you?

～と完璧に同じものではない
それは，私たちが以前に賛成したプロジェクトと完璧に同じものではありません。
> This is not entirely the same project on which we have previously agreed.

＊― entirely は通常，文尾または修飾語のまえで用い，「まったく」「すっかり」という意味になります。

まえのものと違う
この意見は以前のものと違います。
> This opinion is different from the former one.

論理的ではない
あなたの主張は論理的ではありません。
> Your claim is not logical.

非論理的である
会議の席であなたが言っていることは非論理的です。
> What you are saying makes no logical sense in this meeting.

＊― make sense は，「道理にかなう」「意味がわかる」という意味で用います。

極端である
あなたの言っていることは極端です。
> That's off the wall.

抽象的すぎる
あなたの意見は抽象的すぎます。もっと具体的に説明してください。
> What you state is too abstract. Please explain more specifically.

あいまいすぎる
あなたのプレゼンテーションはあいまいすぎます。もっと具体的な例を言ってください。

> Your presentation is too obscure. Could you give me some examples?

何かが欠けている
あなたの提案には何かが欠けています。すぐにはそれを指摘できないのですが。
> I feel some points are missing in your proposal. I cannot immediately point them out, but...
> This report lacks something, but I cannot place my finger on it.

5 ― 批判する

ミーティングの席では，つねに冷静さを保ち，論理的に話すことを心がけましょう。とくに批判を行なう際は，議論が白熱しやすくなるので，情報を伝える側が細心の注意を払うことがたいせつです。

＊　　　　＊　　　　＊

～ならともかく，あなたのような人が～するとは
経験の浅い人ならともかく，あなたのような地位にあるかたがそうおっしゃるのは，いささか問題があります。
> It's okay for someone relatively inexperienced to say that, but someone in your position could have problems by saying that.

なぜ，そんなに～なことが言えるのか
なぜ，そんなに楽観的なことが言えるのですか。
> How can you make such an optimistic statement?

～はしないように注意したのを覚えているか
そのような配慮に欠けた行動をとることのないよう注意したのを覚えていますか。
> Do you remember that I told you not to act in such a thoughtless manner?

～を本気で考えているのか
売上を伸ばすことについて本気で考えていますか。

Are you seriously thinking of growing sales?

〜と言ったではないか
あなたは前回の会議で，新規プロジェクトをすぐにスタートさせるとおっしゃいましたね。

You said you would start the new project at the last meeting, didn't you?

＊―上記の文例で文尾に didn't you とあるように，「助動詞（あるいは be 動詞）＋代名詞」を文尾につけ足すことで，相手に念を押す意味になります。

何か間違ったことを言ったと言うのか
何か私が間違ったことを言ったとおっしゃりたいのですか？

Are you trying to say I said something wrong?

〜の責任は〜にある
この事故を起こした責任はあなたがたにあります。

We blame you for causing this accident.

〜しなかったのか
契約書を確認しなかったのですか。

Have you not confirmed our contract?

〜にこだわりすぎる
あなたは小さな側面にこだわりすぎています。それでは本質的な問題の解決が遅れます。

Your focus on the small details is delaying the solultion of the fundamental problem.

〜するとは無責任だ
パートナーシップを解消するとは，あなたの会社は無責任です。

It is irresponsible of your company to dissolve the partnership.

＊― partnership には「提携」「共同経営」の意味があります。

公私混同すべきでない
公私混同はよくありません。

It is not good to mix business with personal affairs.

偏見がある

あなたの意見には，知識不足からくる偏見が含まれています。

> Your opinions are biased due to a lack of knowledge.

～にすぎないから，そのようなことが言えるのだ

あなたはオブザーバーにすぎないから，そのような楽観的なことが簡単に言えるのです。

> It is easy for you to make such an optimistic statement because you are only an observer.

口約束だけではあてにならない

そういっては何ですが，口約束だけではあてになりません。

> I'm sorry, but we need more than just a verbal promise.

そんなに～だから，～するのだ

そんなに不注意だから，莫大な損害をつくってしまうのです。

> You are causing a lot of damage by being careless.

～は不適当である

あなたの対応はこの状況には不適当です。

> Your answer is inappropriate for this situation.

6 ― 見解の相違を示す

議論の最中に，自分の意見や考え方をむりに絞る必要はありません。異なる見解をもった場合は，積極的に自分の考えを示しましょう。その際，相手を全面否定するのではなく，相手の意見との相違点をはっきり伝えるようにします。

　　　　　＊　　　　　　＊　　　　　　＊

～についてべつの見解をもっている

この件について，べつの見解をもっています。

> I have a different point of view on this issue.

> I have an alternative perspective on this.

〜を考えるためのべつの方法を示したい
これを考えるためのもうひとつべつの方法を示したい。
> I would like to point out an alternative way of looking at this.
>
> *— point out ... は「〜を指し示す」「〜を指示する」という意味です。

対照的な見方を〜したい
対照的な見方を提案したい。
> I would like to propose a contrasting point of view.

〜には異なる見解がある
この検討事項について，私は異なる見解があります。
> I thought about this matter in a different way.

〜にべつの方向から取り組んだ
この問題にべつの方向から取り組みました。
> I approached this problem from a different direction.

少数派のようだが
私は少数派のようですが，つぎの観点を忘れてはいけません。
> It appears as though I belong to the minority, but we must remember this point.

〜とは反対に，〜と考えている
あなたがたの非難とは反対に，私たちはこの仕事を実行すべきだと考えています。
> In opposition to your arguments, we think that we should carry out this work.
>
> *— in opposition to ... は，「〜に反対して」「〜に対立して」という意味です。

〜とは考えていない
私たちはそうは考えていません。
> That is not what we think.

〜を同じようには考えていない
私たちはこの計画について同じようには考えていません。
> We do not see this plan in the same way.

～とは見えない

わが社にはそのようには見えません。

| That is not how it looks to our company.

7 ― 譲歩する　　　　　　　　　　　　　　　　　　　CD56

どのような種類のミーティングにおいても，参加者全員が100パーセント合意するのは非常にむずかしいことです。ミーティング全体の利益追求のために意見を調整する際，以下の表現を覚えておくと役に立ちます。

＊　　　　　＊　　　　　＊

～なので，なんとかしてみる

あなたのたってのご要望ですから，なんとかしてみます。

| Since it is your earnest request, I will manage it somehow.

多分～を考慮することができるだろう

多分あなたの要望を考慮することができると思います。

| I think I will be able to take your request into consideration.

＊― take ... into consideration は，「～（人・モノ・こと）を考慮する」という意味です。

ほとんどの部分で賛成だが

ほとんどの部分では賛成ですが，よりよくするために何点か加えたいところがあります。

| I agree to almost everything, but I would like to add some small
| improvements.

～のような見方もあるかもしれない

そのような見方もあるかもしれません。

| It can also be looked at that way.

～な見方もある

その事項に関しては，べつな見方もあります。

| There is also a different way of looking at the issue.

8―再検討を促す　　　　　　　　　　　　　　CD57

相手に再検討の依頼をするときには,「何を」「どのように」修正する必要があるのかを明示する必要があります。聞く側の立場に立って,なにごとも丁寧にお願いすることがたいせつです。

＊　　　　＊　　　　＊

〜的な側面から再考してほしい────────────
技術的な側面からこの合弁事業を再考していただくことをお願いします。
> We suggest you look at this joint venture from the technical side.

〜の見地から再考してほしい────────────
私たちの計画について違った見地から再考していただけませんか。
> Would you reconsider our plan from a different view?

〜のまえに,もう一度,考えよう────────────
一言いわせていただいていいですか。結論を出すまえに,もう一度,考えてみませんか。
> May I interrupt for a moment? Why not think it over again before making a final decision?

〜となるよう,もう一度,考えてみてほしい────────────
双方にとって利益をもたらす結果となるよう,もう一度,考えてみてください。
> I hope that you consider the plan again to make it mutually beneficial for both parties.

再考してみてはいかがか────────────
この問題を再考してみてはいかがですか。
> Why don't you take this problem into consideration again?

再考が必要である────────────
新規事業計画については抜本的な再考が必要です。
> We need to drastically reconsider the new business plan.

| *― drastically は副詞で,「徹底的に」「思い切って」という意味です。

9 ― 弁明・謝罪する　　　　　　　　　　　CD58

　自分に非がある場合は,正直に謝罪することがたいせつです。また,相手が誤解していると感じる場合は,誤解の原因を解明することが必要でしょう。率直に意見を言える場を設けることは,円滑なコミュニケーションをするために必要不可欠です。

　　　　　　　　＊　　　　　＊　　　　　＊

〜であれば,心からおわびする

私たちが間違っていたのであれば,心からおわびします。
| I apologize sincerely if we have made a mistake.

〜が理解できず,失礼しました

あなたが何をおっしゃっているかが理解できず,大変失礼しました。
| I am very sorry, but I did not understand what you said.

今後はくり返しません

申しわけございません。今後このような過ちはくり返しません。
| I am very sorry. I will not repeat these mistakes in the future.

〜の言ったことを誤解していたにちがいない

大変申しわけございません。私はあなたの言ったことを誤解していたにちがいありません。
| I am so sorry. I must have misunderstood your remark.

〜の代わりにおわびします

社長の代わりに私からあなたにおわび申しあげます。
| I would like to apologize to you in place of our president.
| 　＊― in place of ... は,「〜（人・モノ）の代わりに」という意味です。in ...'s
| place という形にしても同様の意味です。

〜することを忘れた

申しわけございません。その点に言及するのを忘れました。
| I am sorry, I forgot to state that point.

～したつもりはなかった

私はそんなに強くあなたの計画を否定したつもりはありませんでした。
> I did not intend to deny your plan so strongly.

～されて困惑している

私の言ったことをそのように受け取られて困惑しています。
> I am perplexed that you took what I said in that way.

～しなかったのだろう

私はあなたが理解できるように明確に話さなかったと思います。
> I believe I did not speak clearly enough for you to easily understand me.

本音で言ったのだが

隠すようなことは何もなく，まったくのホンネなのです。
> This is how I really feel; I'm not trying to hide anything.

私の知識不足で～できなかった

私の知識不足でこの文書を正しく理解することができませんでした。
> My lack of knowledge prevents me from properly interpreting this document.
>
> *―prevent ～ from ... で，「～（人・モノ・こと）が～するのを妨げる」という意味です。stop ～ from ... よりもやや形式ばった表現です。

～の謝罪を受け入れる

あなたの謝罪を受け入れます。
> I accept your apology.

～という言葉だけでは不十分だ

この状況において，私たちの顧客に対して「申しわけない」という言葉だけでは不十分です。
> In this situation, "I'm sorry" is not sufficient for our customers.

Teatime ❻

フレームワークを使う❶
柔よく剛を制す

　ハーバード・ビジネス・スクールの戦略の大家である David Yoffie 教授のセミナーのお手伝いをする機会がありました。私が1999年に参加した，同ビジネス・スクールの AMP（＝Advanced Management Program，上級マネジメント・プログラム）でご指導をいただいて以来のご縁で，2002年から同教授のセミナーのお手伝いをさせていただいているのです。

　同教授は，戦略の分野のなかでも IT 時代における競争戦略に詳しく，10年以上にわたってインテルの最年少取締役も務めている，いまをときめく戦略分野のエースです。教授は70以上のケースを書き，彼の書いたケースは100万部以上も売れているそうです。

　また，"Competing in the Age of Digital Convergence"（Harvard Business School Press）や "Competing on Internet Time：Lessons from Netscape and its Battle with Microsoft"（Free Press，邦訳あり）などの著名な本も出版しています。ここでは，最新作 "Judo Strategy" のエッセンスをご紹介しましょう。

◆三つの基本動作

　「柔が剛を制す」（"Judo Strategy"）ためには，①動き，②バランス，③レバレッジの三つの基本動作を行なう必要があります。

① Movement: use speed and agility in order to lessen the danger of overwhelming attack
「動き」。スピードと俊敏さをもって，圧倒的な攻撃の危機を軽減します。

② Balance: engage with your opponent in order to minimize the impact of an attack
「バランス」。攻撃のインパクトを最小化するために，相手を組み止めます。

③ Leverage: use your opponent's strength and weight against him in

order to win
「レバレッジ」。相手の力と体重を利用して勝負に勝ちます。

　柔道をご存知のかたは,「なーんだ。あたりまえじゃないか」とおっしゃるかもしれませんが, じつは企業間の競争において, 柔または小が, 剛または大に対してよく戦った事例は数多いのです。
　たとえば,
- ペプシコーラとコカ・コーラ
- BPとエクソン
- ドレイパーとプロクター&ギャンブル
- サウスウエスト航空とアメリカン航空
- ネットスケープ, イントウーイットとマイクロソフト

などです。みなさんの会社が, 巨大な相手との競合に直面しているのであれば, この Judo Strategy はじつに有効な戦略なのです。

◆成功する戦略の四つの常識ルール

　それでは, 成功する戦略とは, 何でしょうか？　同教授は, "Four Common Sense Rules"「戦略の四つの常識ルール」を提唱しています。
　それぞれ簡単に説明しましょう。

① Be Unique ("Me-too" strategies rarely work -- Warren Buffet)
　「ユニークであれ」。"まねっこ"戦略はめったにうまくいきません。Yoffie 教授の同僚であり, 戦略分野で世界的に著名な Michael Porter 教授の「三つの基本戦略」とは, Cost Leadership（コスト・リーダーシップ）, Focus（集中）, Differentiation（差別化）のことを指しますが, そのなかの Differentiation と同じ考えです。

　たとえば, アメリカの著名な投資家である Waren Buffet 氏は, コカ・コーラなどの優良会社への投資で財を成しました。IT バブル時代に, 世間がわれ先にと見境なしに IT 企業に投資して大やけどを負ったのに対して, 氏は「自分に理解できない投資はしない」として, 彼のファンドに投

資する投資家を損失から救ったことでも知られています。
② Create Value (More than physical product -- the entire value chain)
「価値を創造せよ」。価値はたんなる物理的な製品ではなく，価値連鎖全体のことを意味します。
③ Communicate Value (Value not perceived is irrelevant)
「価値を伝えよ」。顧客に認知されない価値は無意味であり，価値を伝え，正しく認識されることが不可欠です。
④ Moving Targets (Sitting ducks are usually picked off)
「動く標的となれ」。ただじっと座っているだけのカモは狙い撃ちされてしまいます。

◆偉大な会社たる四つの条件

それでは，こうした戦略を実行して成功したあかつきに創出される"Great company"（「偉大な会社」）の会社の条件とは何でしょうか。Yoffie教授は，以下の四つの基準を示しています。

① Great companies have a vision on how to compete.
偉大な会社は，いかに競合すべきかの「ビジョン」をもっています。たとえば，マイクロソフトのBill Gates氏がその代表例でしょう。
② Great companies exploit clear competitive advantages.
偉大な会社は，明確な「競争戦略」をもっています。たとえば，世界最大の売り上げを誇るウォールマートがあげられます。
③ Great companies turn crises into opportunities.
偉大な会社は，危機を「機会」に変えます。ペプシとの競合などで危機に遭遇しながらも競争を勝ち抜き，大きな成功を収めているコカ・コーラがその例です。
④ Great companies influence the environment.
偉大な会社は，ビジネス環境に「影響」を与えます。"Everyday. Low Prices."（毎日低価格）を標榜するウォールマートが，小売ビジネスの世界に根本的な影響を与えたことは周知の事実です。

第2部　パティシパントの表現

第5章 納得できる結論に導く

―――了解しあえる合意点―――　　CD59

　参加者全員にとって実りの大きい結論に導くことが，ミーティングの成功の鍵を握ります。「Yes」や「No」という二者択一の選択を求めるだけなく，参加者相互が受け入れられる点を探り，確実に実行可能な結論を導くことができるようにしましょう。

1 ―条件を示す

　賛成や反対といった結論を導く際，「100パーセント賛成」や「100パーセント反対」というような意見を導き出すことは容易ではありません。賛成するにしても，反対するにしても，条件を提示することで，結論を参加者にとって満足のいくものに近づけていくことができるでしょう。

　　　　　　＊　　　　　　＊　　　　　　＊

～が合意できる条件は何か
　あなたの会社が合意してくださる条件は何ですか。
　> What are the conditions your company will agree to?

～のための条件を議論しよう
　合意のための条件を議論しましょう。
　> Let's discuss the requirements of our agreement.
　> ＊― requirement は通例，複数形で用い，「必要なもの」という意味になります。

～が望む条件の上限は何か
　あなたの会社が提供する最大条件は何ですか。

| What's the best your company will offer?

～なら，～する

じゅうぶんな支援をいただけるのでしたら，あなたの計画に賛成します。
| We will agree to your plan, if you give us sufficient support.

～してくれれば，～できる

各打ち合わせのまえに議事予定表を用意していただければ，効率よく進めることができます。
| If you could prepare a schedule before each meeting, it would
| help me to be more efficient.

条件つきで～を承諾する

条件つきであなたの申し入れを承諾します。
| I will accept your offer on certain conditions.

～ならば，要望に応えられる

今週末までにご注文いただけるのならば，要望にお応えできます。
| If you have your order by the end of the week, we will accept
| your request.

＊— accept ... は「～（申し出などを）受諾する」という意味です。反対に，「断る」場合は refuse を用います。

～してくれたら，すぐに考え直す

30パーセント値引きをしてくれたら，すぐに考え直します。
| For a 30% discount, we will immediately reconsider.

～の状況のもとでは，～は受け入れられない

残念ながら，この状況のもとでは，この要望は受け入れられません。
| I am afraid I cannot accept this offer under these circumstances.

～が得られなければ，賛成できかねる

価格についての合意が得られなければ，この計画に賛成できかねます。
| I might not agree on this plan, if we cannot get approval of the
| price.

＊お詫び——CD では not を読み落としておりますので，ご注意ください。

2―代案を示す　　CD60

　ミーティングで最良のアウトプットを導き出すためには，複数の選択肢を用意する必要があります。異なる選択肢のなかから最適なものを選び出すという工程を経ることで，参加者各自が納得のいく結論を得ることができるでしょう。

＊　　　　　＊　　　　　＊

妥協案を用意する必要がある────
　ほかの妥協案も用意する必要があります。
> We need to arrange other compromises.

〜のための対抗案はあるか────
　この問題に対処するための妥当な代案はありますか。
> Do you have any other countermeasures against this problem?
> ＊―countermeasure against ... は，「〜に対する対抗策」という意味です。

〜についてのほかの案を考えてみよう────
　合弁事業についてのほかの案を考えてみましょう。
> Let's think up some alternative plans for this joint venture.

ほかの可能な方法としては〜がある────
　双方の目標を達成するためのほかの可能な方法としては，新素材の開発があげられます。
> One alternative way of satisfying both our objectives is the development of new material.

べつの方法として〜があげられる────
　この件を解決できるべつの方法として新素材の開発があげられます。
> One alternative way this can be dealt with is the development of new material.

ほかの解決策は〜である────
　私が考えるほかの解決策は財務状況の改善です。
> An alternative solution that I see is the improvement of financial

situations.

〜はいかがか
新素材の適用を実施してみるのはいかがでしょうか。
> What if we develop the new material?
>
> *— What if ... ? は,「〜したらどうなるだろう」「〜したらどうか」という意味です。

3—難色を示す　　　　　　　　　　　　　　CD61

ミーティングでは，必ずしもすべての提案を受け入れられるとはかぎりません。同意できない案件は正直にその旨を相手に伝えたほうが，あとで発生する問題を軽減させることができます。

　　　　　　＊　　　　　　＊　　　　　　＊

〜はむずかしい
御社のマーケティング・チームのポリシーでは，今後，私たちとのプロジェクトを続けるのはむずかしいと思います。
> With your marketing team's policy, I think it will be hard for us to continue our project.

〜は受け入れることができない
申しわけございませんが，あなたの要望は受け入れることができません。
> I am sorry, but your request is unacceptable.

すぐに応じることはできない
あなたの要求には，すぐに応じることができません。
> I am afraid that I cannot reply to your offer in a timely fashion.

これ以上，〜に譲歩することはできない
残念ながら，これ以上，金額については譲歩することはできません。
> I am afraid that I cannot compromise any more on the price.
>
> *— compromise は「妥協する」「折り合う」という意味です。うしろに on ... や over ... をつけ足して「のことで」という意味を加えることができます。

～することはお断りする

今後、あなたの会社に投資することはお断りします。
| We refuse to invest any more in your company.

～はキャンセルさせていただきたい

申しわけございませんが，この計画はキャンセルさせていただきたいと思います。
| I am sorry, but we would like to cancel this plan.

見込みはほとんどない

見込みがほとんどありません。
| There is little hope.
| *― little ... は，通例，否定文で不可算名詞の前に置くと，「ほとんどない」という意味になります。

検討の結果，～という結論に達した

あなたのご提案についてじゅうぶんに検討したところ，今回は採用できないという結論に達しました。
| I have spent a great deal of thought on your proposal and I have decided that we cannot accept it at this time.

～なしに賛成することは不可能だ

上司の承認なしにあなたの計画に賛成することは不可能です。
| It is impossible to agree to your plan without our boss' approval.

～のようだが，賛成しかねる

意味のある計画のようですが，私はあなたに賛成しかねます。
| Although you may have a meaningful plan, I cannot agree with you.

事情はわかったが，～のもとでは要望に応えられない

事情はわかりましたが，私たちの状況ではあなたの要望に答えることはできません。
| I understand your conditions. However, under our

circumstances, I cannot accommodate your request.

討議したが，〜できない

私たちは最終会議の後，ずっとこの問題について話し合ってきましたが，残念ながら，あなたの計画を受け入れることはできません。

| We have continuously discussed this issue since the last meeting, but we are afraid that we cannot adopt your plan.

＊— adopt ... は，「〜（理論・技術など）を採用する」という意味です。ちなみに，adapt は「修正を加えて採用する」という意味で，意味上の違いがあります。

4 ― 説得する　　　　　　　　　　　　　　　　　　　CD62

アクション・プランを行動に移すために相手を説得する場合，自信をもった態度で意思表明する必要があります。こころを込めた力強いステートメントで，相手のこころを動かしましょう。

　　　　　　　＊　　　　　　＊　　　　　　＊

〜の協力が必要だ

この商品の販売では，あなたのご協力を必要としています。

| I sincerely need your cooperation on selling this product.

あなたなら〜していただけると確信している

あなたならこの提案のコンセプトをおわかりいただけると確信しています。

| I am sure that you can grasp the concept of this proposal.

〜できるのはあなただけである

新しいブランド・マネジメントを始められるのは，あなたが私の知るただ一人の人物です。

| You are the only person I know who can start new brand management.

もし〜するならば，〜できるであろう

もし私たちがグループとしてうまく機能するならば，迅速にかつ効率的に判断を下すことができるでしょう。

| If we work well as a group we will be able to make decisions quickly and efficiently.

～の自信がある
あなたの要求に応えられる自信があります。
| I am confident in our ability to satisfy your requests.

どんな商品でも～できる
私たちの貿易会社は，御社が要求するどんな商品でも提供できます。
| Our trading company is ready to provide whatever products you request.

～のときは，いつでも力になる
この企画で助けが必要なときは，私がいつでも力になります。
| You can count on me whenever you need my support with this plan.

5──妥協点を見出す　　　　　　　　　　　CD63

結論を導くことができずに討議が行き詰まってしまうこともあるでしょう。意見の異なる参加者の間で，譲ることができる点を聞き出しましょう。「ゼロ」か「100」かで結論を探るよりも，譲歩の話し合いをするように提案しましょう。

　　　　　＊　　　　　＊　　　　　＊

～まで待ってはどうか
私たちの正確なマーケティング・リサーチの結果を手に入れるまで待ったらいかがですか。
| Why don't we wait to get the correct data of our marketing research?

～するために妥協案を見つけよう
交渉がはかどりません。お互いに満足するために何とか妥協案を見つけようではありませんか。
| Our negotiations are not moving forward. Let's try to find a

compromise to satisfy us both.

〜して妥協案を見つけよう

議論を続けて満足のいく妥協案を見つけましょう。

Let's continue our discussions and try to find a sufficient compromise.

＊— sufficient は「（〜するのに）じゅうぶんな」という意味です。

〜での妥協案を見出そう

現段階での妥協案を見出しましょう。

Shall we find a compromise for now?

妥協案を見出すまで〜しよう

妥協点を見出すまで議論してみませんか。

Let's discuss till we find a compromise.

〜についての妥協案がある

私たちは販売価格についていくつかの妥協案の用意ができています。

We are prepared to be flexible with the sales price.

歩み寄ってもらえないか

もう少し歩み寄っていただけませんか。

Could you make a small concession?

＊— concession は「譲歩」という意味で，make a concession で「譲歩する」となります。

〜だけは譲歩してもらえるか

この商品の納入時期だけは譲歩していただけますか。

Could you please compromise on the delivery dates for these goods?

〜の条件をもう少し緩めてほしい

あなたのほうの条件をもう少し緩めてください。

Please relax your terms a little more.

当方は〜を受け入れるので，そちらは〜で妥協してほしい

私は納期の条件を受け入れますが，価格に関するの条件はあなたのほうで

妥協していただきたいです。
> I will accept the date of delivery, but I would like you to compromise on the price.

たとえ〜するとしても，〜だけは受け入れてほしい
たとえ品質に関するほかの条件をすべて妥協するとしても，この一点だけはあなたに受け入れていただきたいのです。
> Even if I compromise on all the other conditions about the product, I would like to ask you to accept this one.

〜するように折衷案を考えた
双方の会社が満足するよう折衷案を考えました。
> I came up with a middle road that I hope both companies will be satisfied with.

6―受け入れる　CD64

提案を「理解」するだけでは，あなたがその後とる反応が相手にはわかりません。提案を受け入れて「採用」する場合は，その旨をはっきりと表明することで相手に正しく意思を伝えましょう。

　　　　　＊　　　　　＊　　　　　＊

すぐに〜に戻って〜する
すぐにオフィスに戻って，チームのメンバーにあなたの意見を伝えます。
> I will go back to my office soon and inform my team members of your opinion.

〜の時間がないので，〜を受け入れる
議論する時間がありませんので，あなたの助言を受け入れます。
> We have no time to argue so we accept your advice.

できるだけ早く〜するように取り計らう
できるだけ早くあなたがたと私たちの意見を合わせるよう取り計らいます。
> I will work on merging your opinion and ours as soon as

possible.

～の言うとおり実行する

適切な助言をありがとうございます。あなたの言われるとおり実行します。

> Thank you for your timely advice. I will do as you say.
>
> ＊― as はここでは接続詞で,「～するように」という意味です。as I do「私がするよう」というように使うことができます。

～を約束する

私たちのサービスに満足していただけることを約束します。

> We promise that you will be satisfied with our service.

いやいやながら受け入れる

私はいやいやながら上司の意見を受け入れました。

> I reluctantly accepted the boss' opinion.

喜んで受け入れる

そのとおりです。私たちも喜んでその提案を受け入れます。

> That is correct. We willingly accept your opinion.

要望に沿えるよう努力する

顧客の要望に沿えるよう努力いたします。

> I will do my best to satisfy our customers' requests.

前向きに処理する

顧客からの報告についてはじゅうぶんな検討を行ない，前向きに処理します。

> We will examine the customer reports carefully and deal with them constructively.
>
> ＊― constructively は「建設的に」という意味です。positively と言うことも可能です。

～に非常に興味がある

私は御社が取り組まれたプロジェクトに非常に興味があります。

> I am very interested in the project at your company.

～をぜひ取り入れたい
あなたのご提案を，ぜひアップル・プロジェクトに取り入れたいと思います。
| I would really like to adopt your proposal on the Apple Project.

7―返事を保留する　　　CD65

ミーティング中には，あなただけでは答えることができないという問題に直面することがあるでしょう。このようなときは，可能なかぎり，いつまでに確認ができるのかを伝えて，上司や担当者に確認をとる時間をもらうようにしましょう。明確に申し出ることで，他の参加者はあなたの行動を受け入れてくれるはずです。

　　　　　　　＊　　　　　　＊　　　　　　＊

～と話し合う機会がほしい
それについて上司と話し合う機会をください。
| Please give me a chance to discuss it with my boss.

～と議論する必要がある
これは非常に深刻な問題なので，他のメンバーと議論する必要があります。
| Since this is a serious problem, I will have to discuss it with
| other members.
| ＊― since は接続詞で，通例は文頭に置き，「～なので」「～だから」という意味
| で用います。

～の意見も聞いてみる
他の学者の意見も聞いてみます。
| I would like to discuss this with some other scholars.

～を得たうえで返事する
この提案に関しては，工場の者たちと打ち合わせを行ない，彼らの意見を得たうえでお返事したいと思います。
| I would like to run this proposal by the people of our factory and

get their opinions before giving you a response.

◯分，時間がほしい
上司に報告しますので，15分，時間をいただけますか。
> Could you give me 15 minutes to report it to my boss?

考える時間がほしい
もう少し考える時間をください。
> Please give me a little more time to think about it.

〜を考慮する時間がほしい
そのご提案を考慮する時間をいただきたいと思います。この件について，つぎにいつお会いできるでしょうか。
> I'd like more time to consider your proposal. When can we get together to talk about this further?
>
> ＊— get together は，やや略式で「集まる」という意味です。

〜までには結論をだす
あなたのご提案を熟慮し，来週の月曜日までには結論をさしあげます。
> I will consider your proposal thoroughly and get back to you with our decision by next Monday.

〜のまえに，もう少し考慮したい
この提案に関して，私の最終的な意見はまだ決まっておりません。最終的な結論を出す前に，この件についてもう少し考慮したいと思います。来週の月曜日までには，私の意見をお知らせいたします。
> I am not sure what my conclusive opinion is on this proposal. I am going to consider this further before making a final decision. I will let you know what I think by next Monday.

見当がつかない
これにはどう応えたらよいか見当がつきません。
> I have no idea how I need to respond to this.

のちほど考えておく
のちほど考えておきます。

> I'll think it over later.

まだ検討中である

まだ検討中です。

> I am still making up my mind.
>
> ＊――make up one's mind で「（～しようと）決心する」という意味になります。

まだ意向が決まっていない

まだ意向が決まっておりません。

> I have not made my decision yet.

8――合意に達する　　　　　　　　　　　　CD66

討議を尽くしたと判断したら，最終的な態度を表明します。相手と意見の一致に至った場合は，実際に行動に移るまえに，念のため合意事項に理解の相違がないかを再度，確認しましょう。

　　　　　　　　＊　　　　　＊　　　　　＊

～だから，実現させたい

これらのプロジェクトはお互いの会社にとって有益ですから，実現させたいものです。

> We would like to realize these projects since they are beneficial for both companies.

～と契約を結びたい

あなたの会社と契約を結びたいです。

> I would like to make a contract with your company.

～にご理解をいただき，うれしく思う

私たちのプロジェクトにご理解をいただき，大変うれしく思います。

> I am very glad that your company understood our project so well.

検討した結果，～を決定した

この計画について慎重に検討したのち，ポンド株式会社と契約することを決定しました。

| After considering this plan carefully, we have made a decision to make a contract with Pond Inc..

調査した結果，〜するという結論になった

この問題について調査した結果，ポンド株式会社と契約するという結論になりました。
| After investigation of this project, we have decided that we will make a contract with Pond Inc..

そろそろ〜してほしい

わが社としましては，そろそろ決断していただくころかと思います。
| From our company's view, it is time that you make up your mind.

〜するまでは，〜できかねる

御社との契約を正式に結ぶまでは，われわれは取り引きできかねます。
| I am afraid that we cannot deal with your company until we enter a binding contract.

〜では合意していると思う。すなわち〜

ここでは，つぎの基本原則では合意していると思います。すなわち，組織改革の促進です。
| I think we are all agreed on this basic principle: we need to push the reorganization forward.
| ＊— push forward で「〜（計画など）を推し進める」という意味になります。

9—物別れに終わる　　　　　　　　　　　　　　CD67

　ビジネスマンにとって時間は重要な資源の一つです。交渉を重ねても合意に至らない事項について，いたずらに時間を費やすことは好ましくありません。成果を生まない話し合いであると判断することも重要な決断の一つです。そのような場合は，明確に意思を表明しましょう。

　　　　　　　＊　　　　　＊　　　　　＊

〜なら，話し合う余地がない

金額面でそちらに歩み寄るお気持ちがないのでしたら，これ以上，話し合う余地はありませんね。

> If you have no intention to compromise on the financial terms, I'm afraid we are done discussing it.

白紙に戻す

ずいぶん譲歩したつもりですが，これ以上はむりです。この話は白紙に戻しましょう。

> Although we have made considerable compromises, we are getting nowhere. Let's drop the whole matter.

時間のむだである

もうこれ以上，話し合っても意味がありません。時間のむだです。

> It is useless to continue this discussion. It is a waste of time.

合意できない

残念ですが，この件に合意することはできません。

> I'm sorry but I am not able to agree with this case.

残念ながら，〜できなかった

残念ながら，契約を結べるようにはならなかったようです。

> Unfortunately, we could not come up to draw up a contract.

〜できなかったのは残念である

今回，あなたの会社と契約を結ぶことができなかったのは残念です。

> I am afraid that we cannot make a contract with your company at this time.

― Teatime ❼ ―

フレームワークを使う❷
4C分析法を自在に使いこなす

マーケティング（Marketing）とは，「顧客の満たされていないニーズを見つけだし，これを自社の商品やサービスで満たすためのシステマティックなプロセス」と定義することができます。

このマーケティングの最初のプロセスは内外環境の分析で，①顧客（Customers），②競合相手（Competitors），③協力者（Collaborators），④自社（The Company），を分析します。このプロセスは「マーケティング分析」（Marketing Analysis），あるいは，分析対象の頭文字をとって「4C分析」（The 4 Cs Analysis）とも呼ばれます。

この4C分析の手法は，ミーティングを成功させるための状況分析にも応用できますので，以下ご紹介しましょう。

① 顧客（Customers）

ミーティングにおける顧客とは，ミーティングにおけるあなたの目的達成の鍵を握る人のことです。社外での売り込みのためのミーティングであれば，買いつけの意思決定者ですし，社内の承認を得るためのミーティングであれば，承認を与えることができる職責にある人のことです。

ミーティングにおける発言や言動の大半は，「顧客」がどう感じ，どう最終的な決断を下すか，という一点に集中すべきです。ただし，そのほかの人を無視するのは戦略としてもうまくありません。以下に述べる三つのCに属する人たちがもつプラスとマイナスの力をじゅうぶんに意識しつつ，効果的なレバレッジ（leverage）を効かせることがたいせつです。

② 競合相手（Competitors）

ミーティングにおける競合相手とは，ミーティングの目的達成の代替になる選択肢を提供できる人，あるいは障害をもたらす人のことです。

社外であれば，まさに競合品やサービスを提供する他の業者であり，社内であれば，あなたの提案を快く思わない人間や，場合によっては出世競争の

敵であったりもするでしょう。

③ 協力者（Collaborators）
　協力者とは，ミーティングであなたを支えてくれる人たちです。
　明らかな支持者と，心ひそかに応援してくれる盟友（Ally）とがいます。前者の重要性は明らかですが，後者のさりげないひとことや，あなたに有利になるような答えを誘導してくれる質問に注意を研ぎ澄まし，千載一遇のチャンスを生かす心構えと行動が必要です。

④ 自社（The Company）
　自社とは，あなた自身のことです。
　自分自身の強み（Strengths）と弱み（Weaknesses）を熟知し，機会（Opportunities）と脅威（Threats）を知ることがたいせつです。この分析は，頭文字をとってSWOT分析（SWOT Analysis）といわれ，4C分析と同様，マーケティングや戦略の分野でよく使われる有効なフレームワーク（Framework）です。

　4C分析を実際のミーティングで生かすには，事前に参加者を上記の四つに分類しておくことが有効です。どの分類にも属さない人は，しょせん，いてもいなくてもよい人ですので，気にする必要はないでしょう。
　採用のインタビューも広義のミーティングと考えることができますが，ここにご紹介したフレームワークが使えます。あなたが入社のインタビューを受ける立場だとしましょう。面接官は通常，複数です。Customers，つまり面接の最終意思決定者が誰かは，しばらく話していると，わかってきます。また，面接官のうち誰が好意的（Collaborators）で，誰が敵（Competitors）かも，落ち着いていれば，分かるはずです。そこで，ご自身（The Company）の強みを，Competitorsを無視することなく，Customersに向かって思い切ってアピールするというわけです。
　いかがでしょうか。大変応用範囲の広いフレームワークですので，しっかりと実践で使って，ぜひ自由自在に使いこなせるようになってください。

補章
会議の進行に便利な決まり文句

――― 知っ得フレーズ集 ―――　　　CD68

英語を話すときにいちばんたいせつなことは，「私は英語を話せない」という思い込みの壁を取り除くことです。この思い込みにとらわれていると，極度の緊張感に襲われ，知っている単語すら忘れてしまいます。これから紹介する決まり文句を暗記しておくだけで，緊張の壁を取り除くことができます。何度も練習し，あとは自分らしくミーティングの場に臨むことです。

❶――呼びかけ

みなさま，ご一緒にすばらしい本日のゲストのかたがたをお迎えください。
> **Ladies and gentlemen**, please join me in welcoming our outstanding guests.

みなさん，時間ですので，午後の会議を再開しましょう。
> **Ladies and gentlemen**, it is now time to begin our afternoon session of the meeting.

議長，話が脱線しているようです。議事予定に戻っていただけますか。
> **Mr.〔Madam〕President**, we seem to have been gotten sidetracked. May we return to the agenda?
>
> *― sidetrack は通例，be sidetracked という形で用い，「横道にそれる」という意味です。

会長をはじめ，ご出席のみなさま，この特別会議にて話す機会をいただき，光栄の限りです。
> **Mr.〔Madam〕President, ladies and gentlemen**, it is indeed a great honor for me to be given this opportunity to address you on the occasion of this special meeting.

委員のみなさま，5階のA会議室に至急お集まりください。
> **Members**, please proceed directly to conference room A on the 5th floor.

❷──話の冒頭

この場を借りて，この会議に寄せる私の希望をいくつか申しあげます。
> **I would like to take this opportunity to** express a couple of wishes that I have for this conference.

これから，簡単にご挨拶させていただきます。
> Ladies and Gentlemen, **please allow me to** give a short speech of welcome to our guest.

＊── allow は「〜を許す」という意味です。同様の表現として permit や let がありますが，前者はより積極的に同意や許可を与えるという意味が強く，後者は「阻止しない」というニュアンスが強くあります。

ご挨拶申しあげる**機会をいただき，大変に感謝しております**。
> **It is my great pleasure to** be able to personally offer you several words of greeting.

本日，みなさまとこの部屋に集い，意見交換ができること**を大変にうれしく存じます**。
> **I feel very happy that** all of us are gathered in this room today to exchange ideas.

❸──話の切り出し

本日は，コーポレート・ガバナンスについてお話し申しあげます。
> **I am very pleased to** speak to you about corporate governance today.

ここでは，私の基本的なコンセプトを述べさせていただきます。
> **At this point** I shall simply state my basic concept.

はじめに自己紹介をしたいと思います。

| **First, I would like to** introduce myself.

あまり長い前置きはやめ，すぐに会議を始めたいと思います。
| I wish to suggest that **we skip long introductions** and that we begin the meeting immediately.

＊― shorten ... は，「～を短くする」「～を縮める」という意味です。反対に，「伸ばす」という意味では lengthen を用います。

形式的なことはさておき，すぐに会議を始めましょう。
| **Let's dispense with the formalities** and begin the meeting immediately.

いまや激しい変化が予想される時代です。
| Drastic changes are being predicted **now**.

昨日の討論の課題**にありましたように**，新製品の実用化にはまだ問題が山積しています。
| **As was suggested** in yesterday's discussion, there are still more problems with the use of the new product.

ご出席のみなさまも**すでによくご存知のとおり**，この分野はジリ貧状態にあります。
| **As** all of you present here **know very well**, this field is in a poor state.

❹―挿入句　　　　　　　　　　　　　　　　　　　　　CD71

ついでに申しあげておきますが，私は4日から1週間，夏期休暇に入ります。
| **To add**, I am going to take a summer break for a week from the fourth.

ちょっと脱線になりますが，新しい支店のある徳島は，穏やかな気候で食べものもおいしく，じつに暮らしやすいところです。
| **It's a little bit off track**, but in Tokushima, where the new branch office is, the weather is very mild and the food is very

good as well. It is a very nice place to live in.

それで思い出したのですが，前回のミーティングでちょっと話に出た外注の件はどうなりましたか。
| **Which reminds me**, what happened to the outsourcing that was discussed in the last meeting?

忘れないうちに言っておきますが，この資料は部屋から持ち出さないでください。
| **I'll say this before I forget**, please do not take the materials from this room.

ところで，私の名前は田中ではなく，中田です。
| **By the way**, my name is not Tanaka. It's Nakata.

京都支店**といえば**，今春，転勤した中村さんはがんばっていますか。
| **Speaking of** the Kyoto office, how is Mr. Nakamura, the one who was transferred there this spring?
| ＊— speaking of ... で，「〜のことだが」「〜といえば」という意味になります。

❺—あいづち　　　　　　　　　　　　　　　　　　CD72

まさしくあなたのおっしゃるとおりです。
| **It is just like** you said.

まったくおっしゃるとおりです。
| You are **absolutely right**.

同感です。
| I **agree with you**.

それはいいですね。
| **That's good**.

そうだといいですね。
| **Let's hope so**.

そうではないと思います。
| **I don't think so**.

私もそうではありません。
| **Me neither**.

なるほど。いまのご説明でやっとわかりました。
| **I see.** I finally understand, thanks to your explanation.
| ＊— thanks to ... は、「〜のおかげで」「〜のために」という意味です。

なるほど。それも**一理ありますね**。
| I see. **You have a point there**.

たしかに、**そうですね**。
| Well, **that is true**.

もちろん、いいですとも。ぜひご利用ください。
| **Of course**, please feel free to use it.

よさそうですね。**ぜひ、そうしてください**。
| That sounds good. **Please do so**.

耳寄りなニュースですね。
| That news **sounds good**.

それは**なおのこと結構**なことです。ぜひ進めてください。
| That's **even better**, please go on.

えっ、**本当ですか**？　ちょっと信じられない数字ですが。
| ＊— a bit や a little は、しばしば副詞的に「少し」「ちょっと」という意味で用います。
| **Are you serious**? Those numbers are a bit hard to believe.
| **Is that so**? Those numbers are a little hard to believe.

はたして本当に**そうでしょうか**。
| **Is that** really **so**?

とても**信じられません**。
| **It is impossible** for us **to believe that**.

1週間でできるはずだとおっしゃるのですか。**ご冗談でしょう**。
| You said you can do it in a week, but **you were kidding**, right?

それは**お気の毒に**。よろしくお伝えください。

| **I'm so sorry.** Please tell them to take care.
| **I am so sorry.** Please send my regards.

❻──話の転換　　　　　　　　　　　　　　　　　　　　　CD73

この問題**はさておき**，スタッフをどう増員するかをさきに考えましょう。
| **Setting** this problem **aside**, let's think of how to increase the staff size.
　*― set aside は，「～（モノ・こと）を棚上げにしておく」という意味です。

ところで，この件について，御社の見解をお伺いしたいのですが。
| **Anyway**, I would like to ask for your company's opinion on this situation.

さて，ここで私たちがとった打開策と，その理由を詳しく申しあげます。
| **Well**, now I'd like to explain in detail the plan and the reasoning behind it.

話は変わりますが，来年度の新規採用はどうもむずかしそうです。
| **On a different note**, next year's recruitment seems to be quite difficult.

ここでちょっと**話題を変えていいですか**。
| **May I change the subject** for a minute?

❼──受け応え　　　　　　　　　　　　　　　　　　　　　CD74

じつは，あなたと同じように私もこの計画に懸念をもっています。
| **To tell the truth**, I also am a little anxious about this plan as well.

あなたが満足していないことに**勘づいていました**。
| I **suspected that** you were not satisfied.

私もその点には以前から**気がついていました**。
| I also **had a hunch about** that, too.

私も**耳にしたことがあります**。

| I also **have already heard it**.
妙な話ですね。そんな話はいままで**聞いたことがありません**。
　| What a funny story. **I have never heard of** it before.
そんなことは**考えてみたことがありません**。
　| I have **never thought about** that.
そこまでは**思いつきませんでした**。
　| **It's never occurred to** me.
お役に**立てればさいわいです**。
　| **I am glad to** help you.
そのことは**じゅうぶん承知しております**。
　　| I **fully understand** it.
　　　＊― fully は，「じゅうぶんに」「完全に」という意味です。
心配しないでください。
　| Please **do not worry about** it.
状況は好転しています。**お気になさらないでください**。
　| The situation is improving. **You need not worry about it**.
あなたが私たちのプロジェクトを支援していただける**のなら**，**本当に助かります**。
　| **It would really help us if** you support our project.
結果**を聞いて安心しました**。
　| I **was relieved to hea**r the result.
　| **It was a relief to hear** the result.
もしかすると，そちらの希望どおりにはいか**ないかもしれません**。
　| **There's a chance that it won't** go the way you want it to.
　　＊― won't は will not の略です。

❽―強調　　　　　　　　　　　　　　　　　　　　　　　CD75

これは，**一日たりともむだにできない**重要な課題です。
　| This is such a critical issue that we **cannot waste even a**

補章　会議の進行に便利な決まり文句　161

single day.

機械がいかに発達しようとも，ヒューマン・ネットワークほどビジネスの成功に不可欠なものはありません。

> **No matter how** great man's mechanical progress **may be**, there is nothing so essential for the development of business as human networks.

それこそが，私の念願です。

> **That is** my sincerest desire.

気を抜かずに，いっそう精進する必要があります。

> **We should not slow down now**, rather **we must** continue our efforts.

この事項に対する関心と期待が高いことは，言うまでもありません。

> At this point, **there is no need to say** how much all of us are interested in this issue, and how high expectations are.

＊―「～は言うまでもないことだが」という意味では，needless to say ... という表現もあり，文頭・文中・文尾で用いることができます。

私の強調したいことは，財務の問題です。

> **What I wish to emphasize is** the financial problem.

忘れてはならないのは，財務の問題に直面しているということです。

> **What we should not forget is** that we are still faced with a financial problem.

そういうことでしたら，この取引は白紙に戻すしかありません。

> If that is so, we **have to** take this plan back to the drawing board.

❾―弱調　　　　　　　　　　　　　　　　　　　　　　　CD76

ええ，たしかに，ある意味ではそのとおりだと思います。

> Well, of course **in a way you might say** so, I suppose.

本当にそうなのでしょうか。

| But **can** that **really be said**?
そのような見方もある**かもしれません**。
| **It can also be** looked at that way.
この調子を**どれだけ持続できますでしょうか**。
| **How long can we** maintain the present pace?
失敗する可能性があることを，とかく**忘れがちです**。
| We **are likely to overlook** the potential negative consequences.
　＊— consequence は通例，複数形で用い，「結果」「なりゆき」という意味です。result よりも硬い表現です。
もしその点が気になるようでしたら，**むりにとは言いませんが**。
| **I won't force you to do it** if you are concerned …
どうやら，上の OK がおりなかったようですね。
| **It seems that** it wasn't approved by the management.
必ずしもその手法が間違っている**というわけではありません**。
| I'm **not** saying that that approach is **necessarily** wrong.

❿—前置き　　　　　　　　　　　　　　　　　　CD77

この提案に関しては，**よく理解しておりませんが**，モーガンさんの言うとおりだと思います。
| **I am not familiar with the proposal, but** I think Ms. Morgan is quite right.
間違っているかもしれませんが，新製品の開発を再度行なうべきだと思うのです。
| **I may be mistaken, but** I think that we should develop a new product again.
的外れかもしれませんが，その調査は最初からやりなおすべきだと思います。
| **Perhaps I missed the point, but** I think that we should reinvestigate.

*─ perhaps は文頭・文中・文尾で用いることができ,「ひょっとしたら」「ことによると」という意味です。

噂かもしれませんが, 私たちのマーケティング戦略についていわれていることはこの種のことです。

> **Although it may be just a rumor,** this kind of thing is being said about our marketing strategy.

個人的なことをお尋ねいたしますが, 現在の年収はどれくらいですか。

> **Excuse me for asking you something personal, but** what is your current annual income?

あなたにご迷惑をおかけして恐縮ですが, あなたからマネージャーに直接, 言っていただけませんか。

> **I am sorry to bother you, but** could you tell the manager directly?

出すぎたことを言うようですが, 御社の顧客対応には問題があるのではないでしょうか。

> **I may be overly forthright, but** is there not a problem in how your company deals with your customers?

現段階では, いままでの交渉の過程**はぬきにして**, この最新プランの実効性を検討してみませんか。

> **Let's forget** the history of our negotiations for now, and focus on how to make the new plan effective.

結果の良し悪し**はべつとして**, あなたがA案を採用した意図は理解できます。

> **Exclusive of whether the results are good or bad**, I understand the reason behind your thoughts on recommending plan A.

*─ whether は接続詞で名詞節を導き,「(～する) かどうか」という意味で用いることができます。

誰がこの問題を扱うか**はべつにして**, どういう解決策があるかを話し合い

ましょう。

> **Let's set aside** the issue of who is to deal with this problem and talk about what kinds of solutions exist.

⓫─話の結び　　　　　　　　　　　　　　　　　　　　　CD78

本大会の成功**をお祈りいたします**。

> **I truly wish**（**that**）this conference every success.

本総会の円滑な運営を通じて、ご出席の皆さまに快適にご滞在**していただけるよう、全力をかたむける所存です**。

> **We are putting forth our best effort to** smoothly manage this General Assembly and ensure a pleasant stay for all participants.

＊─ensure ... は、「～（モノ・こと）を確保する」という意味です。

勇気と信念をもとに、積極的かつ建設的に活動**を推進していきましょう**。

> With courage and faith, **let us continue to** move forward positively and constructively.

最後に、本大会の成功と、参加者のみなさまが、限られた期間ではありますが、この国で快適かつ実りある滞在をなされることをお祈りし、ご挨拶とさせていただきます。

> **In conclusion**, I offer to this conference my best wishes for success, and to each of the participants a pleasant and productive stay in this country, brief as it may be.

では、2008年**に**ニューヨーク**で**お目にかかりましょう。

> **See you in** New York **in** 2008.

◆ミーティングでよく使う用語と書類名

●採決する

採決する／採決	to vote／vote
可決する／可決	to approve／approval
否決する／否決	to reject／rejection
賛成する／賛成	to agree with, be in favor of／agreement
反対する／反対	to disagree with, be against／objection
棄権する／棄権	to abstain／abstention
採択する／採択	to adopt／adoption
決定する／決定	decide, conclude／decision, conclusion
却下する／却下	to reject／rejection
保留する，棚上げにする	put on hold, put aside for now
定数	fixed number
投票総数	total number of votes
賛成（反対）○票	affirmative（negative）: ...votes
白票	white card
無効票	invalid votes
委任状	proxy
全員一致	unanimously, by a unanimous vote

●討議する

提案する／提案	to suggest, to propose／suggestion, proposal
動議を出す／動議	to make motion／motion
報告する／報告	to report／report
討論する／討論	to discuss／discussion
発言する／発言	to speak up／
主張する／主張	to insist／insistence

説明する／説明	to explain／explanation
出席する／出席	attend／attendance
欠席する／欠席	be absent from, not to be able to attend／absence
（会議を）進める	to conduct
（会議を）召集する	call a meeting
出席者	those present（出席者数：attendance）
欠席者	absentee
発言者	speaker
進行役	facilitator
議長	chairperson
タイム・キーパー	time-keeper
書記役	note-taker, secretary
議題	agenda
副題	subtitle
議事録	minutes
項目	item
叩き台	preliminary idea, plan, draft
質問	inquiry
合意	consensus
異議	objection
賛成意見	positive opinion
反対意見	negative opinion
賛否両論	pros and cons
見解	point of view
問題提起	to raise a question
主題	subject
論点	point of issue
ブレイン・ストーミング	brainstorming

●各種書類

契約書	contract
売約書	sales contract
見積書	quote, quotation, estimate
注文書	order sheet (form), purchase order sheet
注文確認書	order confirmation
通知書	notification
納品書	statement of delivery
受領書	acknowledgement
領収書	receipt
請求書	bill
明細書	description
仕様書	specification
保険証書	insurance policy
信用状	letter of credit (L/C)
保証状	letter of guarantee (L/G)
紹介状	letter of reference
検査証明書	inspection certificate
送り状	invoice
督促状	reminder
名刺	business card
書類	document
資料	data, materials
報告書	report
年次報告書	annual report
損益計算書	profit and loss statement
覚書	memorandum
秘密保持契約書	privacy policy, non-disclosure agreement
有価証券	stocks and bonds, securities

Teatime ❽

フレームワークを使う❸
WIN–WINの交渉をめざす

　ミーティングとひとことで言っても，さまざまなミーティングがあります。ビジネス・パーソンがとくに多く遭遇すると思われるのが，交渉のミーティングです。

　そこで，本コラムでは，これからさまざまな交渉のミーティングに参加されるであろう読者のために，1997年に私がNHK教育テレビで講師を務めた「イエスと言わせる─ビジネスマンの説得術」のエッセンスをご紹介しましょう。

◆交渉のスキルを使う

　この説得術の最終ゴールは，交渉の当事者がすべて満足するようなwin-winの交渉をめざす，というものです。この目的を達成するための鍵は，13のスキルです。

　以下，それぞれのスキル（13 Negotiation Skills）を簡単に紹介します。

① Be charming.「チャーミングであれ」
　　多忙な相手とのアポ取りをするときなどは，チャーミングに相手を引きつけるようにします。
② Be assertive.「主張をしよう」
　　不利な状況に置かれたときなどにも，ただ受け入れるのではなく，きちんと自分の立場を伝えましょう。
③ Be attractive.「魅力的であれ」
　　セールスのプレゼンをするときなどは，いかに相手にとって魅力的な内容にするかを心がけます。
④ Take charge.「主導権を握ろう」
　　売り手市場における買い手のような不利な立場であっても，交渉をリードするようにしましょう。
⑤ Be flexible.「フレキシブルにやろう」

限られた選択肢しかないと思われる状況のなかでも，創造力を働かせフレキシブルに行なうよう努めます。

⑥　Be proactive.「先手必勝」
　　トラブルが起きたときなどは，先方の出方を見て反応するのではなく，さまざまな選択肢を提示するなどして先手必勝を心がけます。

⑦　Be persuasive.「説得をしよう」
　　ビジネスでの説得には，さまざまな工夫や知恵を発揮して説得を図りましょう。

⑧　Be respectful.「敬意を払う」
　　社員に接するときなどは，相手が誰であれ，敬意をもって接することを忘れないようにしましょう。

⑨　Give and take.「ギブ・アンド・テイク」
　　交渉は，どちらか一方が勝ち取るというものではなく，与え，そして受け取るものです。

⑩　Be fair.「公正であれ」
　　誰に対しても公正な態度で接することがだいじです。

⑪　Be specific.「具体的であれ」
　　人事管理などは，きちんとしたデータをもとにして具体的であることがたいせつです。

⑫　Show concern.「気づかいを忘れない」
　　上司が部下に指示を出すときであっても，一方的・権威的な押しつけはよくありません。

⑬　Be logical.「理路整然」
　　取締役会におけるプレゼンテーションや交渉などは，ロジカルに行なう必要があります。

　こうした交渉のスキルを縦横に駆使して，交渉のミーティングをぜひ成功させてください。

第3部

場面別サンプル文例
意見を正確に伝える表現

Part Three: Accurately Stating Your Opinions—Sample Expressions for Various Contexts

第3部の英文例は補章のみをCDに収録してあります。頭出し番号はCD79からCD81までです。

第3部　場面別サンプル文例

第1章
戦略・戦術を練る
──周到な準備と検討──

ミーティングでは，参加者一人ひとりが問題意識をもって真剣に討議することが求められます。発言者は，「自分が何をしたいのか」を明確にするだけではなく，「相手に何をしてもらいたいのか」も明確にしたうえで発表するようにしましょう。

1─新しい企業経営を展開させる

新企画を提案する際は，長文を用意したり，むずかしい用語を使用したりする必要はありません。むしろ，要点を押さえた簡潔な表現のほうが効果的に相手を説得することができます。

*　　　　　　*　　　　　　*

組織改革が急務です
組織改革が当面の急務となっています。
> Organizational restructuring calls for our urgent attention.
> *─「急務」は urgent attention のほか，urgent business や (a) pressing need と言い換えられます。

合弁事業について考えています
じつはわが社も合弁事業について考えているところです。
> Actually, we are considering the joint venture now, too.

多額の投資が必要です
私たちが合弁事業に参加するのであれば，多額の投資が必要です。
> If we participate in the joint venture, we need a huge

investment.

最終的な決断をくだします

この2年間，私たちは何度も会議を重ねてきましたが，最終的なものとして，本日新規合弁事業についての結論をくだしたいと思います。

> We have held lots of meeting for the past two years, and at this final one, we hope to reach a decision for a new joint venture today.

＊―本文の one は，meeting をさしています。名詞の代用語として用いられる one は不定のものをさし，it は特定のものをさします。

ブランド・マネジメントの成功には〜が必要です

ブランド・マネジメントを成功させるために長期的な目標が必要です。

> We need a long-term objective for the success of brand management.

2 ― 販売促進の企画を検討する

販売促進には，広告宣伝や人的販売など，複数の手段があります。また，シーズンごとのキャンペーンが消費者の購買力に強い影響を及ぼします。ミーティングの席では高い頻度で取りあげられる議題です。

* * *

〜の戦略に焦点をあてるべきです

新型携帯電話の販売に際しては，広告戦略に焦点をあてるべきだと考えています。

> With respect to the sales of new model cell phones, we believe that focus on an advertising campaign is crucial.

販売戦略的には〜です

販売戦略的には，あなたのおっしゃるとおり，テレビ・コマーシャルを使った広告がもっとも効果が見込めるでしょう。しかし，残念ながら，当社にはその財政的な余裕がありません。

> From an advertising strategy standpoint, we agree with you that

ads which utilize TV commercials are the most effective. However, unfortunately, our company does not have the financial means to consider this option.

＊― (an) advertisement は「広告」という意味です。(an) ad は，その口語的使用です。

ターゲットの絞り込みに有効です

ケーブル・テレビやデジタル衛星放送を利用したPRは，ターゲットの絞り込みという面では非常に有効だと思います。

> We believe that PR, when delivered via cable TV and digital satellite broadcast, provides highly effective focus on the target audience.

～にねらいを定めた広告をうつべきです

この商品は，都市部に住む高学歴の中年女性にねらいを定めた広告をうつべきです。

> This product's ads should target highly-educated, middle-aged women who reside in metropolitan areas.

専門誌への広告を提案します

具体的には，読者層をある程度，限定できる専門誌への広告掲載を提案します。

> Specifically, I propose that we advertise in the magazines that can identify readers to a certain extent.

～にはキャンペーンを始めたいのですが

冬のシーズンまえにキャンペーンを始めたいのですが。

> I would like to begin the campaign before the winter season.

広告戦略に問題があったことが原因かもしれません

この新商品が発売後わずか2か月で急速に売上が落ち込んだのは，広告戦略に問題があったことが原因かもしれません。

> Problems in advertising strategy may be the reason behind this new product's dramatic drop in sales in just short two months.

> *― in には時を表わす用法があり，in three months from now のように用い，「いまから数えて3か月の期間が終わった時点で」という意味です。

強力な広告活動を提案します

より強力で広範な広告活動を提案いたします。

> I suggest a stronger and bigger advertising initiative.

広告重視には賛成なのですが

広告に重点を置くのには賛成ですが，その媒体には賛成できません。なぜなら……。

> I agree with the idea of focusing on advertising, but I cannot agree with that medium because...

この新しいシステムを遂行すべきです

最初は損をしても，この新しいシステムを導入すべきです。

> We should go ahead with the new system even if we lose money at first.

先着〇人に〜をプレゼントしましょう

キャンペーン期間中に来店した顧客には，先着1,000人限定でマスコット人形をプレゼントしましょう。

> Let's give out mascot dolls to the first 1000 customers who come to the store during the campaign.

顧客に〜なレポートを送りましょう

市場の変化にすばやく反応していることを示すために，顧客に対して，わかりやすくて時宜を得たレポートを年に4回ほど送るようにしてはどうでしょうか。

> To emphasize that we are quickly responding to market changes, why not send the customers a quarterly report which is timely and easy to understand?

3―予算〈資金〉の配分を思案する

予算について述べる際は，具体的な数値を用いて明確に示す必要がありま

す。とくに，「割合」を「パーセント」で表示する際は，単位を間違えないよう，数字を確認してから発表するよう心がけましょう。

＊　　　　　　＊　　　　　　＊

予算を○パーセント削ります

申しわけないですが，開発部の予算は13パーセント削減いたします。

> I'm very sorry, but there will be a 13% cut in the development department's budget.

一律削減は納得できません

一般的な方針としては理解できますが，一律に削減というのはまったく納得できません。

> It can be understood as a general policy, however, across-the-board cutbacks are unacceptable.

削減可能な項目のリストを作ってください

あなたの部でも減らせる経費が何かあるでしょう。そのリストを作って提出してください。

> Aren't there expenses that you can cut down on in your department as well? Please make a list and turn it in.

～のまえに予算を立てて提出してください

トップ・エグゼクティブへのプレゼンテーションまでには予算を立てて，それを提出してください。

> Make a budget and submit it by the next executive presentation.

＊―本文中の by は，「～までには」という時の期限を意味します。

予算割当額を超過します

それは私たちの計画に割り当てられた予算を超過します。

> It will exceed the budget allocated in our plan.

～の予算を削るわけにはいきません

この計画のための予算を削るわけにはいきません。

> We cannot cut the budget for this plan.

～の予算を増やすべきです

マーケティング部の予算を増やすべきだと思います。
> We should increase the marketing department's budget.

○パーセントの節減が必要です

私の試算では10パーセントくらいの経費の節減が必要でしょう。
> According to my estimate, we need to reduce expenses by ten percent.

＊―本文中の by は，「～だけ」「～の差で」という差異の程度を意味します。

前年比で○割，節減できます

経費を前年比で1割節減することは可能です。
> It is possible to cut last year's expenses by ten percent.

なんとか予算を確保してください

なんとか予算を確保してください。
> Please make sure that we somehow get our budget.

まず財政難に取り組むべきです

時間の関係で詳しいことは申しあげられませんが，まず財政難に取り組むべきです。
> There is not enough time to go into details, but we should deal with financial problem first.

4―新しい分野へ進出する

新しい分野に進出する際は，リスクがつきものです。ですから，成功の可能性が高いことを証明できるじゅうぶんな根拠を用意しましょう。この場合，数値的裏づけや過去の事例などは有効です。また，進出のメリットについての情報も参加者の同意を得る際に役立ちます。

＊　　　　＊　　　　＊

新分野に進出します

これから当社は食品関連の技術を生かし，医療やバイオなどの新しい分野に進出する必要があります。
> From now on, we must leverage our foods-related technologies

and advance into new fields such as medical care and biotechnology.

新分野に進出するには，リスクをじゅうぶんに考慮する必要があると考えます。

I think we must thoroughly consider the risks involved in entering a new field.

より多くの成果が期待できる分野です

追加研究をすれば，より多くの成果が期待できる分野です。

With further research, we expect this to become a promising field.

委託研究事業です

これは委託研究事業です。

This was a funded research project.

多くの顧客を満足させることができます

新しいサービスが成功すれば，私たちは多くの顧客を満足させることができます。

If the new service succeeds, we will satisfy many customers.

財政的・社会的な利益をもたらします

このプロジェクトは私たちに財政的かつ社会的な利益をもたらします。

This project provides us with financial and social gains.

成否は五分五分です

成否は五分五分で，全力をつくすより道はありません。

We only have a fifty-fifty chance of succeess, so we must do our absolute best.

たとえ～でも，このビジネスに取り組むべきです

損失をある程度，覚悟してでも，このビジネスに取り組むべきです。

We should try new business even if we must take some losses.

～という事実に注目してください

細かいお話をするつもりはありませんが，半導体産業の急速な回復という

事実には注目をしていただきたいと思います。
> I do not intend to dwell on small details, but I wish to call your attention to the quick recovery of the semiconductor industry.

より広い視野から検討してみましょう
より広い視野からその問題に関して検討してみましょう。
> That problem should be considered from a wider perspective.

さまざまな見地から配慮がなされています
新規事業計画にはさまざまな見地から多くの配慮がなされています。
> Much consideration from different points of view has gone into the new business project.

＊──much は，「多くの」「たくさんの」という意味の形容詞の場合，うしろに不加算名詞を用います。

失敗すれば，○ドルの損害を被るでしょう
そのプロジェクトに失敗すれば，2億ドルの損害を被るでしょう。
> We will lose two hundred million dollars if the project fails.

情報が漏れたら，成功できなくなるでしょう
この案件が現段階でもれたら，プロジェクトは成功できなくなるでしょう。
> If this matter leaks out now, I am afraid that the project will not succeed.

承認されないかぎり，推進できません
案件が取締役会議で承認されないかぎり，このプロジェクトを推進することはできません。
> Unless approved at the director's meeting, this project cannot move forward.

財政支援が気にかかります
その場合に，一つ気にかかることは，財政支援についてです。
> In that situation, the one thing that I am concerned about is financial support.

第3部 | 場面別サンプル文例

第2章
開発・開拓を立案する

―――綿密な分析と創意―――

　新規提案をする際は，じゅうぶんな情報収集と綿密な事前調査が必要です。しかし，必ずしも参加者の全員が提案に賛同してくれるとはかぎりません。提案の有効性を説得することにだけに気をとられるのではなく，反対意見にも耳を傾けるようにしましょう。他者からの率直な意見は改善への糸口となります。

1─新しい商品を開発する

　新商品について述べる際には，どのような質疑にも対応できるように，発表者が商品をじゅうぶんに理解している必要があります。その場で明確な回答が出せない質問に対しては，誤って即答するよりも，きちんと調査したうえで，後日，回答するほうが発表者への信頼度を高めます。

　　　　　＊　　　　　＊　　　　　＊

新製品の開発を提案します―――
　この会議では，新商品の開発について提案をいたします。
> For this meeting, I would like to propose the development of a new product.

新商品についての意見を聞かせてください―――
　午前中の会議で試食していただいた新しいカップ麺に関して，みなさんのご意見がうかがいたいのですが。
> I would like to hear your opinions on the new cup noodle that you sampled during the morning meeting.

開発スケジュールに問題はありません

来年度に発売予定である新商品の開発スケジュールは,いままでのところ問題ありません。

> The development schedule for the products due to be released next year has hit no problems to date.

～の特許は出願していますか

現在,開発中の新商品に関連する特許は出願していますか？

> Have we applied for patents on the new product we're developing?

商品開発のプロセスを見直します

これまでの商品開発のプロセスを見直し,新しい市場調査の方法を導入する必要があると考えます。

> I think we need to re-examine the product development processes we've been using, and introduce some new methods of market research.

テスト・データでは,～はわかりません

テスト・マーケティングの結果,中高年女性が満足する商品かどうかわかりませんでした。

> From the results of the test marketing, we don't know if our product will satisfy the middle aged women.
>
> ＊—if は動詞の目的語になる場合,「～かどうか」という意味になります。

高く評価されるべきです

このような研究は高く評価され,いっそうの資金の裏付けが行なわれるべきです。

> This kind of research should be highly valued and further financed.

全世界に先立って開発しました

全世界に先立って,革新的なビジネス・モデルを開発しました。

> We are the first in the world to develop this innovative business

idea.

ついに長年の努力が実りました
長年にわたる努力がついに実り，この製品を全世界に発表することができます。
> At last we have been able to see the fruit of many years of effort and can now announce our product to the whole world.

予備実験の結果，〜となりました
これらの予備実験の結果，実用可能であることがわかりました。
> Preliminary results show the potential for practical use.

2 ― 新生産システムを提案する

新規提案をする際は，多くの人たちからの賛同を得られるよう，くふうをしてみましょう。そのシステムが当事者に利益を与えるだけでなく，関連の組織にも貢献するものであることを証明できると，説得力が高まります。

   ＊   ＊   ＊

新たな製造装置の導入を提案します
新製品の立ち上げに向けて，新たな製造装置の導入を提案します。
> For the new product release, I'd like to suggest installation of new manufacturing equipment.

生産システムを再点検します
現在の生産システムを再点検し，徹底的にむだを排除して製品の流し方を見直す必要があるでしょう。
> We should inspect our current production systems, thoroughly removing all of the waste, and reviewing the product flows.

〜に関するノウハウがあります
弊社には，多品種に対応した生産システムの設計に関してノウハウがあります。
> We have experience in designing production systems which manufacture a wide variety of goods.

～して業務の効率化を図ります

当社では，これまで互いに独立していた「設計システム」と「生産システム」をリンクさせて業務の効率化を図る予定です。

> We plan on linking our currently unassociated "production systems" and "design systems" in order to improve efficiency.

この方法で～に貢献できるでしょう

この方法のほうが，生産工程を改善し，歩留まりの向上に貢献できると考えます。

> I believe this option will contribute to improved manufacturing processes and to better product yields.

この技術は～の発展に寄与するでしょう

この技術は，多くの応用分野で利用され，新しいビジネスの発展に寄与するでしょう。

> This technology has many practical applications and will contribute to the development of several new businesses.
>
> ＊— several は，二つ以上から5，6，ときとして10ほどまでをさします。とくに強勢が置かれると，数が多い意味が込められます。ちなみに，some は一般に several より少ない不定の数をさします。

製造原価を引き下げられます

このシステムに切り替えることで，1年以内に製造原価を少なくとも5パーセント引き下げられる見通しです。

> By switching to this system, we would be able to lower the manufacturing costs by at least 5% within a year.

人員整理が気になります

その新システムの導入は必然的に大幅な人員整理を伴うのでしょうが，組合としては，そのことへの対策にもっとも関心があります。

> Introduction of the new system will inevitably result in large personnel cuts. As a union, we are most concerned about how to deal with these cuts.

3―消費市場を開拓する

　販売エリアの拡大や，物流拠点の追加など，消費市場の開拓には複数の方法があります。最近では，トライ・アンド・エラーをくり返すのではなく，市場開拓のリスクを軽減するためにテスト・マーケティングを実施する企業が増えています。

＊　　　　　＊　　　　　＊

ブランド認知には時間が必要です
　消費者のブランド認知を獲得するのには，ある程度の時間が必要です。
> It will take time for a brand to be recognized among customers.

～が世界経済の中心となるでしょう
　中国の経済は世界の舞台の中心となるでしょう。
> The Chinese economy will play a central role on the world stage.

～を政府に強く要請してきました
　規制緩和を政府に強く要請してきました。
> We strongly demanded that the Government enforce deregulation policy.

　＊―提案・勧告・要求などを表わす動詞に続く that 節では，動詞は原形を用います。本文中で enforce が原形であるのはこのためです。

需要を生み出す商品を作る必要があります
　これからの家電業界は安い値段で商品を提供するだけでなく，自ら需要を創造する商品を作りだす必要があります。
> The home electronics world is no longer just about providing products at an inexpensive price; it must also develop and deploy products which create demand.

テスト・マーケティングとして～をしました
　昨年は，テスト・マーケティングとして中国での国際食品見本市にブースを出展し，輸出の可能性を探りました。

> Last year, as a test marketing exercise, we opened a booth at China's International Foods Trade Fair, and researched import permissions.

テスト・マーケティングが必要です

新しいタイプの清涼飲料水を市場に出すまえに，テスト・マーケティングをする必要があります。

> Before releasing a new soft drink, we need to conduct a test marketing.

テスト・マーケティングに必要な期間は？

テスト・マーケティングにはどれくらいの期間が必要か，みなさんのご意見を聞かせていただきたいのですが。

> I would like to hear your opinions about how much time is necessary for the test marketing.

～では需要が大いに期待できます

欧米諸国ではそうかもしれませんが，東南アジア各国では，この商品の需要はまだ大いに期待できると思います。

> That may be so in the Western countries, but in Southeast Asia, we can expect a huge need for this product.

商品市場の調査が必要です

まず，その地域の商品市場としての規模や，地域の人口動態などを調査する必要があります。

> First, it is necessary to investigate the market size and the area demographics.

A社が市場の○パーセントを占めています

現在，その市場の何パーセントをA社が占めているかに関する最新データをください。

> Please give me the latest data on company A's market share percentage.

第3部　場面別サンプル文例

第3章
課題・難題を解決する

――真摯で誠実な対応――

　トラブルは予期せぬときに起こるものです。円滑な意思の疎通は，問題解決までの時間を短縮することができます。また，緊急を要する際は，責任者が解決案を一方的に表明しなければならないこともあります。このような場合は，通常よりも大きな声で，はっきりと発表するとよいでしょう。これだけで，ミーティング参加者に安心感を与え，結果として，問題解決への近道となります。

1――トラブルに対処する

　予定どおりに事が進まずトラブルが起きることはよくあります。したがって，過剰に反応する必要はありません。むしろ，冷静にトラブルの原因を分析し，すみやかに対処法を見出すほうがよいでしょう。

＊　　　　＊　　　　＊

問題の原因は徹底的に調査します
　わが社は問題の原因を徹底的に調査致します。
> Our company will thoroughly investigate the cause of the trouble.

全面的に責任をもって処理します
　当方の手違いでしたので，全面的に責任をもって迅速に問題を処理させていただきます。申しわけありませんでした。
> As it was our mistake, we will take full responsibility for the problem and will fix it as soon as possible. We apologize for the

trouble caused.

＊—本文中の as は，理由や原因を表わす用法があり，「〜なので」を意味します。

同じ過ちはくり返しません

申しわけありません。二度と同じ過ちはくり返さないことをお約束いたします。

> We are terribly sorry. We promise not to repeat the same mistake again.

早急に調査し，ご報告します

さっそく現地に専門家を派遣して事実関係を調査し，詳しい事情がわかりしだい，ご報告いたします。

> We will send our expert to investigate the problem and will report our findings to you as soon as possible.

返送料は当方が負担します

破損した商品を返送する際の郵送料は当方が負担します。

> We will pay for the return postage on damaged goods.

復旧作業中です

現在，停止しているサーバーは復旧作業中です。本日中には復旧する予定です。

> The downed server is being recovered right now. It should be back up sometime today.

トラブルが発生して〜ができません

現在，システムにトラブルが発生し，一部のサービスが利用できません。

> The system is experiencing some trouble at this moment, and some services are unavailable.

修復には○日みてください

破損部分の修復には，少なくとも4日はみていただきたい。

> It will take at least four days to repair the damaged goods.

2—対策を練る

問題が発生した後は，その原因を追及するだけでなく，すみやかに問題解決の方法を提案する必要があります。また，あらかじめ起こりうる問題を予測し，対応策を練っておけば，深刻な事態を未然に防ぐことができます。

　　　　　　＊　　　　　　＊　　　　　　＊

〜の対策はどうなっていますか

万一，事故が発生した場合の対策はどうなのでしょうか。

> Should an accident occur, are there countermeasures in place?
> ＊―本文は if の省略により倒置が起き，should が文頭にきています。if を補うと，If an accident should occur, ... という文です。

万一の場合の対策をもっていますか

万一の場合の対策をおもちかどうか，お尋ねしたいのですが？

> Do you have countermeasures set up in case of an emergency?

〜は見逃しにできません

この製品の耐久性が満足のいくものではなかったという点は，見逃すことはできません。

> We cannot overlook deficiencies in product durability.

議論している時間はありません

議論している時間はありません。緊急対策を講じる必要があります。

> There is no time to discuss the problem. We need to take emergency measures right away.

だれが責任をとるか把握していますか

このトラブルに，だれが責任をとるか把握していますか。

> Do you know who is responsible for this trouble?

事故解決の最高責任者になってください

あなたにこの事故の解決の最高責任者になっていただきたいのです。

> I really want you to take full responsibility for solving this accident.

＊— want ... (人・モノ) to do で,「(人・モノ) が～することを望んでいる」という意味です。

責任回避をしているのではありませんか
そうおっしゃって, 責任を回避しようとしているのではありませんか。
> Are you trying to avoid taking responsibility by saying that?

顧客が困惑することになるでしょう
この問題が発覚したら, 顧客は大いに困惑することになるでしょう。
> Our customers will be very disturbed if they learn of this problem.

どう挽回するか話し合いましょう
今回のトラブルが原因でプロジェクトの進捗が遅れています。どのように挽回するかを話し合いましょう。
> This trouble is the reason that the project is running late. May we discuss how to get back on track?

トラブルの原因を探るには～する必要があります
このトラブルの原因を探るには直接的な要因だけでなく, 間接的な要因も考える必要があります。
> To find the real root of this trouble, I think we need to look at the indirect factors, as well as direct factors.

情報が漏れてしまいました
慎重に扱ったのにもかかわらず, 私たちのプロジェクトに関する情報は漏れてしまいました。
> The project details have already leaked out despite the fact that we handled it carefully.

必然的に問題が起こるでしょう
この状況が続くと, 必然的に問題が起こると思います。
> If things go on like this, I think a problem will inevitably occur.

3―契約内容を検討する

　日本企業と外資企業では，通常，使用する契約書のフォーマットが異なります。とくに，米国企業の契約書は取り決め事項数が多く，一つの商品に対しても数十枚の契約書になる場合があります。内容をその場ですべて理解する必要はありません。ミーティング後，弁護士などの専門家と一緒に内容の確認を行なうとよいでしょう。

＊　　　　　＊　　　　　＊

契約に関して意見交換をしましょう
　次回の契約に関して意見の交換をしませんか。
> Why don't we exchange ideas about the next contract?
> ＊― why don't we ... は提案を表わし，「～しよう」という意味です。

はっきりした契約を取り決める必要があります
　むだな問題を避けるために，はっきりした契約を取り決める必要があります。
> We need to make a clear contract to avoid silly troubles.

～なので，契約は見送ります
　あなたの会社から正式な了承がないので，今回の契約は見送りましょう。
> Because we do not have an official agreement from your company, we must pass on this contract.

契約のまえに～を再確認する必要があります
　契約を結ぶまえに基本契約の内容についてマネージャーと再確認する必要があります。
> We need to reconfirm the content of the fundamental contract with my manager before we can sign it.

顧問弁護士にチェックしてもらいます
　さっそく顧問弁護士にこの契約書をチェックしてもらいましょう。
> Let's have our legal counsel check this contract.
> ＊― have＋目的語＋原形不定詞で，「(目的語)に～させる/してもらう」という

意味があります。

～の承認を得たら，書類を作成します
トップ・エグゼクティブの承認を会議で得たら，書類を作成しましょう。
> Once I get the top executives' approval in the meeting, I will draw up the document.

本社の確認をとりました
本社の人間と話して，大口の注文には15パーセントの割り引きを適用することを確認しました。
> I have verified with my people that we will deduct 15% for a large order from you.

法務部門の承認が必要です
新規契約につきましては，弊社の法務部門の承認が必要になります。しばらく時間をいただけないでしょうか？
> We have to obtain approval from our Legal Department on the new contract. Would you please allow us a little more time to accomplish this?

保守契約を結ぶと，～ができます
保守契約を締結していただきますと，サポート・サービスを受けることができます。サポート・サービスには定期点検と故障修理が含まれます。
> Once you sign a maintenance contract, we can begin providing support. Support includes periodic inspections as well as failure recovery.

契約の標準的な期間です
5年が，当社の販売代理店契約の標準的な期間です。
> Five years is the standard contract term for our company's distributors.

Teatime ⑨

英語力を強化する❶
学習の習慣づけが外国語習得のカギ

　何かを身につける，とりわけ私たちにとって外国語である英語を習得するには，学習の習慣をつける（Establish your rituals.）ことがたいせつです。

◆インプットをたいせつにする

　英語の学習には，アウトプットよりもインプットのほうが重要です。まずは英語の蓄え（reservoir）を充実させるということです。

　同時通訳の神様である小松達也先生も，①たくさん読む，②リスニング力を鍛える，ことがたいせつだとアドバイスしてくださっています。

　また，戦後の英語教育の泰斗でありNHKのラジオ講座で長年ご活躍された松本亨博士も，"Read more. Write less. Listen more. Speak less."「書くよりも，読みなさい。話すよりも，聞きなさい」と，読むことと聞くことのたいせつさを説いておられます。

　戦後の日本を代表するお二人の英語の達人が期せずしてまったく同じアドバイスをしておられるということは，驚きであると同時に，私たちに英語学習の重要な心構えを教えてくれます。たしかに，読んでわからないことは書けるはずがありませんし，聞いてわからないのに，ただ話せるわけがありません。

◆英語の学習はザルで水をすくうようなもの

　日本では通常，英語がビジネスや生活の場で日常的に使われることが少ないので，意識しなくても自然に英語がはいってくるような環境に身を置くことがたいせつです。日本という，英語ができなくても通常の生活には支障がない国に住む私たちにとって，これはとくに重要なポイントです。

　ふだんの生活のなかで私たちは，「うっかりすると」一日，まったく英語を耳にしたり目にしたりすることのない日を過ごしてしまいます。ビジネスや留学のために英語が必要であり，必ず英語を身につけるぞ，と決意したはずのあなたにとってこれは，かなり致命的なことです。

バレリーナは、「一日練習を休むと自分でわかり、二日休むと相手がわかり、三日休むと聴衆がわかる」そうで、だから、毎日、練習するのだそうです。英語学習もこれとまったく同じことがいえると思います。英語の通訳者や翻訳家のような英語を生業とする人でなくとも、本質は同じはずです。

　私は、「英語の学習は、ザルで水をすくうようなものだ」と考えています。ザルですから、水は漏れ放題で、なかなかたまりません。それでも、すくいつづけていないことには、英語のカメは空っぽになってしまいます。

◆自然に英語がはいってくる環境をつくる

　「それは苦痛だ、そんな効率の悪い方法しかないのか」というかたのためのアドバイスが、まさに「英語学習のための習慣をつける」ということなのです。それは、英語のテープやCDを、たとえば夜寝るときに聴く「睡眠学習」の習慣を、車を運転する人であれば、運転中に聴く習慣を、あるいは、通勤・通学のあいだの時間を利用して聴く習慣を身につけることを意味します。無意識と継続の力を利用するのです。

　この「学習を儀式（rituals）にする」というのは大変なパワーを発揮します。出張、残業、あるいは夜のおつき合いでどんなに疲れていても、あるいは、たとえ酔っ払っていても、夜はだいたい床に就くはずですから、そのときにスイッチをポンと押せば、英語が流れてくるというわけです。数秒後に熟睡してしまうほど疲れているときでも、潜在意識に英語の音がはいっていきますので、効果があることは、私自身の体験から、自信をもって申しあげることができます。

　英語の高みをめざすみなさんへの私の究極のアドバイスは、
「英語学習を儀式化し、できるだけたくさん読んで聴く」
("Read and listen more by ritualizing English language learning.")
ということです。

　そして、それはけっして修行僧が行なうような厳しいトレーニングではなく、日々の習慣によって徐々に、しかし着実に実力が身につく、自然体の学習方法なのです。ぜひ、みなさんも、このコラムを読まれたいまから始めてくださいね。

第3部 | 場面別サンプル文例

第4章
商談や業務の交渉をする

――率直で意欲的な交渉――

　一部の人間だけが利益を得る交渉は成功とは言えません。ミーティング参加者全員が満足する結果を得なければなりません。交渉を進める際に留意すべき点は，各参加者の利害を明確にしたうえで複数の解決策を用意することです。そのなかから，客観的な基準を用いて，全員が利益を得ることのできる解決策を選択しましょう。

1―製品や商品の説明をする

　顧客に安心して商品を購入してもらうためには，商品特性について詳細な情報を準備しておく必要があります。ただし，商談の席では，手持ちの情報をすべて披露するのではなく，相手が必要とする情報を的確に提供することが肝心です。

　　　　　　＊　　　　　　＊　　　　　　＊

～の製品について話をさせてください
当社の製品について詳しくお話しさせてください。
> Please allow me to talk about our goods in detail.

＊― allow ＋人・モノ＋ to do で，「人・モノに～させておく」という意味になり，同意を与えるときに用います。

～の特徴を聞かせてください
貴社の商品の特徴をお聞かせくださいませんか。
> Could you tell me all the features of your company's products?

当社で開発した新素材でできています
これらの商品はすべてわが社で開発した新素材でできております。
> These goods are all made from a new material that our company developed.

保守サービス料はいくらですか
その製品の保守サービス料はどのくらいですか。
> What are the maintenance fees for that product?

～を提供します
最高水準のサービス品質を提供します。
> We provide the highest standard of service quality.

高品質・高性能です
当社の商品は高品質・高性能です。
> Our products are of high quality with outstanding performance.

改良を加えてあります
消費者のニーズにあわせて改良を加えてあります。
> Improvements are made reflecting the consumer needs.

気に入ると確信しています
きっと気に入っていただけると確信しております。
> We firmly believe that you will like it.

経済性はどうですか
他社の製品に比べて経済性はいかがですか。
> How do our goods compare to other companies price-wise?
>
> ＊ -wise は，名詞・形容詞・副詞につけて副詞または形容詞を作ります。たとえば，「給与の面では」という場合は，salarly-wise という使い方をします。

～には自信があります
品質には自信があります。
> We have confidence in our quality.

～は当社が負担します
送料と修理費は当社が負担します。

| Shipping fee and repair fee are all on us.

輸送中の事故については小社がすべて負担します。
| We will bear all the expenses for the damages caused as a result of any accidents that occur in transit.

2―生産能力や在庫の確認をする

　商品の生産能力や在庫の規模に関して話す際は，尋ねる側も答える側も，具体的な数値を提示することがたいせつです。発音しにくい数字は，誤解のないように，資料でも準備をしておきましょう。

　　　　　　＊　　　　　　　＊　　　　　　　＊

年間生産量はどのくらいですか

御社の月間，および年間の生産量はどのくらいでしょうか。
| What are your monthly and yearly production figures?

今月の生産量は～です

今月の生産量はおよそ1500ケースです。
| This month's production is approximately 1500 cases.

生産が間に合いますか

今月末の発注で生産は間に合いますか。
| Can you produce the goods if we place our order at the end of this month?

リード・タイムは何日くらいですか

発注から納品までのリード・タイムは何日くらいですか。
| What's the approximate lead time in days from order until delivery?

売上実績を教えてください

よろしければ，昨年の生産と売上の実績を教えていただけませんか。
| If you don't mind, will you tell me your production and sales figures for last year?

　＊―figures は，ここでは，「数字」や「数」という意味です。

年商はどのくらいですか
御社の年商はおおよそどのくらいですか。
> What is your approximate yearly sales figure?

入荷はいつですか
入荷はいつごろの予定でしょうか。
> When can we expect our products to arrive?

在庫を切らしています
申しわけありません。ただいま，在庫を切らしております。
> I'm sorry but we are currently out of stock.

在庫を問い合わせています
ただいま，在庫を問い合わせています。
> We are currently checking our stock.

～から発送します
ご注文は横浜にある流通センターから発送いたします。
> This order will be delivered from the distributing center in Yokohama.

3─価格や数量の交渉をする

　価格交渉の際，とくに注意しなければならないのが，明確な数値の提示です。個数や価格を提示するだけでなく，「何に対する」何パーセントであるのかといったように，基準となる対象も明確にしておく必要があります。

*　　　　　*　　　　　*

○か月先までの予測はできますか
3か月先までの購入数量の予測はできますか。
> Can you estimate the combined sales volume from now until 3 months out?

～で見積もります
今回は低価格で見積もらせていただきます。
> This time, we will give you a low-price estimate.

〜はどのくらいを考えていますか
ところで，価格帯はどのあたりでお考えですか。
> By the way, what are the price ranges you have in mind?
>
> *— have ... in mind は，「〜を考慮中である」という意味で用います。

値引きできますか
もう少し値引きをすることはできますか。
> Is it possible to give us a bit more discount?

〜すれば，○割引きにします
1000個を超えるご注文をいただければ，2割引きにさせていただきます。
> On orders of more than 1000 units, we will give you a 20% discount.

〜はいくらに設定されていますか
1ユニットの単価はいくらに設定されていますか。
> What is the retail price of one unit?

割引率は○パーセントです
100セット購入した場合の数量割引き率は定価の18パーセントです。
> When 100 sets are bought, 18% is deducted off the retail price.

予想以上に高額です
価格が予想以上に高額です。
> The price is way over our estimate.
>
> *— way はここでは副詞で，「はるかに」や「うんと」を意味します。

どのくらい安くなりますか
どのくらいまで安くできますか。
> How much cheaper can you make this?

もっと安くなりませんか
これ以上，安くはなりませんか。
> Can this get any cheaper?

これがぎりぎりの線です
これが小社で可能な最低の価格です。

| This is the lowest possible price our small company can offer.

4─支払いや納期などの条件を決める

　金銭が動く段階になって，相互の理解が異なっていたことに気づくことがあります。このような事態を未然に防ぐために，支払や納品の方法については，折衝の早い時期に決定しておきましょう。

＊　　　　　＊　　　　　＊

支払い条件を教えてください────────────

　支払い条件をお尋ねしたいと思います。
| I would like to ask you about the payment conditions.

毎月○日締め，翌月○日払いです────────────

　当社の支払い条件は，毎月20日締め，翌月末支払手形払いです。
| Our Statements close on the 20th of every month, with payment
| made by draft at the end of the next month.

頭金はいくらですか────────────

　頭金はおいくらでしょうか。
| How much is the down payment?

振込手数料は～の負担です────────────

　振込手数料についてはメーカー側の負担とさせていただきたいのですが。
| We would like for the maker to pay for the remittance charge.

現金一括払いだと，○パーセントの値引きになります────────────

　現金一括払いということで，5パーセントの値引きになりませんか。
| Could there be a 5% discount for making a lump sum payment in
| cash?
|　＊─a lump sum payment で，「一括払い」を意味します。なお，a payment in
| lump sum と言うこともできます。また，「分割払い」は，a payment by
| installments と表現できます。

○日以内にお支払いください────────────

　送り状の日付より60日以内に全額をお支払いください。

| Please make all payments within 60 days of the date on the invoice.

納期はいつですか

おおよその納期を教えてください。
| Please tell me the approximate delivery date.

納期は～です

納期は契約後60日以内とします。
| The delivery is within 60 days after the contract.

～の包装でお送りします

防水・防虫の包装でお送りします。
| We will send it to you in water-proof, insect-proof wrapping.

追加注文の価格は～で考えてください

追加注文の価格についてはべつにお考えいただけますか。
| We ask you to please conisider a different pricing for additonal orders.

5―懸案事項の連絡や調整をする

　ミーティング時間内で結論を出すことのできなかった議題については，改めて時間を設定し，審議を行ないましょう。また，報告や資料の不足，次回のテーマなどはもれなくきちんと伝えるよう気をつけましょう。

　　　　　　　　＊　　　　　　　＊　　　　　　　＊

～の結果を報告してください

先方との打ち合わせの結果を報告してください。
| Please tell me what went on at the meeting with the other party.
　＊―go on は，「(ことが)起こる」や「行なわれる」という意味です。

データが不足しています

営業2課のレポートはデータが不足していませんか。
| Doesn't the report from the sales department (2) lack sufficient data?

調整が困難な点は〜です
調整が困難なことがらは何ですか。
| What are the issues difficult to deal with?

もう少し時間をかけて〜しましょう
もう少し時間をかけて検討しましょう。
| Let's take more time to investigate it.

持ち帰ってはどうでしょうか
一度，持ち帰ってはどうでしょうか。
| Could you take it back and think about it?

*―日本語で，「持ち帰ってはどうでしょうか」と提案する場合，「一度持ち帰り考察し直してはどうでしょうか」というニュアンスが含まれます。

〜を担当者会議のテーマにしましょう
それを午後3時から行なわれる担当者会議のテーマにしませんか。
| Can we make that our theme for the 3p.m. manager's meeting?

次回に提案してください
あなたの意見をまとめて次回に提案してくれませんか。
| Could you put together your opinions in a proposal for next time?

補章
英語で困ったときに便利な表現

―――あわてず騒がず―――　　　　　　　　　　CD79

　ミーティング参加者の言語の違いが意思疎通の障害になるのは，たいへん残念なことです。もちろん，使用言語としての英語を学習することや，事前に資料を確認しておくことで，この障害を軽減することは可能です。しかし，実際のミーティングシーンでは，習得した英語力や予備知識だけでは対応しきれない場合があります。このような場合は，ほかの参加者や通訳者の力を借りて，積極的に議論に参加することがたいせつです。

❶―相手の英語がわからない

　発言者のアクセントや使用する表現に慣れていないと，ミーティングの論旨を見失う場合があります。そのようなとき，質問するのをためらっていると，ミーティングの内容を誤って理解しかねないので，たいへん危険です。ここで紹介するいくつかの表現を身につけて，どうどうと質問ができるよう練習しましょう。

口語での発言は避けましょう

　英語が母国語でない出席者も多数おりますので，スラングや口語での発言はできるだけ避けるようにしましょう。

> There are many non-native speakers of English present. Make sure that we all try to avoid slang words or colloquial expressions.
>
> ＊― slang には，「俗語」や「(特定の社会や職業の) 通用語，専門用語」という意味があります。

明確に話してください

言葉の障害を避けるためにも，みなさんができるだけ明確に話してくださるようお願いします。

> To make sure that the language gap will not stand in our way of communication, I would like to suggest all of us try to speak as clearly as we can.

スピードを落としてください

少しスピードを落として，さきの件をもう一度ご説明していただけませんか。

> Will you slow down and recap what you have just said about the case?
>
> *── recap は recapitulate の略式で，「～を要約する」「～の要点をくり返す」という意味です。

もう少しゆっくり話していただけませんか。

> Could you slow down a little?

テンポが速すぎて～できません

お気づきでないのかもしれませんが，会話のテンポが速すぎて，ほとんど話の内容が理解できません。

> You all may not notice it, but you are talking so fast that I can hardly catch up with what is going on.

話が速く進みすぎて，内容がわからなくなってきております。

> It is going too fast for me to understand what you are talking about.

会話のペースが速すぎて，英語が母国語でない者には，ついていきがたいです。

> The conversation between you makes it difficult for non-native speakers of English including myself to catch up with you.

ついていけません

みなさまの話についていくのがむずかしくなってきました。

| I am having trouble keeping up with what you are talking about.

流れがつかめなくなりました
すみませんが，話の流れがつかめなくなってきました。ちょっと話を戻してもいいですか。
| Excuse me, but I am getting lost here. Can we go back to what we were talking about a bit?
＊―lost には，「道に迷った」「途方にくれた」という意味があります。

スラングがわかりにくいです
スラングを多用されているようですが，私には非常にわかりにくい言葉です。
| I think you are using a lot of slang words or expressions. They are difficult for me to understand.

簡単な単語を使ってください
聞きなれない単語を使っておられるようですが，ほかのもっと簡単な単語を使っていただけませんか。
| I am not familiar with some of the words you used. I would appreciate it if you could use simpler words.

～という単語はどんな意味ですか
「perennial」という単語はどんな意味ですか。
| What does "perennial" mean?
| Would you please let me know what "perennial" is?

～という単語は聞いたことがありません
「perennial」という単語は聞いたことがありません。
| I am not familiar with the word "perennial".

日本語で話したいのですが
さしつかえなければ，お話に出た専門用語の概念をわれわれのあいだで明確にしておくために，少し日本語で話したいのですが。
| If you don't mind, I would like to talk with my associates in Japanese to make sure that we know the concept of the

> technical words just brought in.

＊— associate には「同僚」という意味があり，colleague と同様の意味です。

すみません，いまのお話をわれわれ全員が正確に理解しているか確認しておきたいので，しばらく日本語で話したいと思います。

> Excuse me. May I talk to my colleagues in Japanese to make sure that we all understand what we are talking about, please?

❷—うまく英語がでてこない　　　　　　　　　　　CD80

事前に入手可能な資料にはすべて目を通しておき，むずかしい用語や記述は調べておきましょう。それでもミーティングの最中にわからない言葉と遭遇してしまったときは，ほかの参加者の知識を借りることです。自力で会話をしようとする意気込みもたいせつですが，人に助けを求める謙虚な姿勢も重要です。

ここからさきは通訳してもらいます

すみませんが，ここからさきは日本語で話し，通訳してもらうことにします。

> Pardon me. Would you allow me to speak Japanese and use the interpreter, please?

〜を英語で何と言うかわかりませんが

「リストラ」を英語で何と言うかわかりませんが，こういうことです。つまり，……。

> I am not sure how to say the word, "ri-su-to-ra" in English but it means that....

よい言葉が見つからないのですが

適当な言葉が見つからないのですが……

> I can't find the right words but ...

よい言葉が見つからないのですが……

> My English fails me at the moment but ...

～を調べますので，ちょっと待ってください

適切な英語を調べますので，ちょっとだけ待ってください。
| Would you let me check the word in a dictionary, please?
| Can you wait a moment and let me look up the word in a dictionary?

事前に翻訳しておきたいのですが

明日の打ち合わせ資料のコピーをいただけませんか。こちらの役員のために，事前に翻訳して用意しておきたいと考えております。
| We wish to receive the copies of your materials for tomorrow's meeting so that we can prepare translations for our board members in advance.
| ＊─ so that ... は，「～するために」という意味で用いることができます。

～の日本語訳をお願いします

明日の会議に関するそちら側の資料の日本語訳をお願いしたいのですが。そうすれば，相互の誤解も最小限に抑えられると思われますから。
| We would like to ask you to prepare the Japanese translation of your key materials for tomorrow's meeting. That will help us decrease misunderstanding in our communication as much as possible.

❸─通訳を依頼する　　　　　　　　　　　　CD81

　意図したことを正確に伝えることが困難な場合は，通訳者の力を借りることも一つの手です。ビジネス・パーソンであるあなたに求められるのは，英語力よりも優れたアイディアです。通訳者を介したとしても，あなたの能力が疑われることはありません。むしろ，間違った表現をくり返すほうが，信頼を損ねる結果につながります。

通訳を頼んであります

事前に，通訳を頼んであることをお知らせしておきます。

> I would like to let you know that we are going to have a translator in advance.

同時通訳を雇います

本会議のために同時通訳を雇いたいと思います。

> It might be better if we have simultaneous interpreters at the conference.

通訳をします

出席者のなかには英語を話さない人が何人かいますので，私が通訳をしていきたいと思います。

> As there are some non-English speaking people attending here, I would like to be their interpreter.

> There are some non-English speaking people here; therefore, I will interpret as needed.

〜に通訳してもらいます

きょうは営業第3課の中村さんに通訳してもらいます。

> Mr.［Ms.］Nakamura from the third section of the business department is going to interpret our meeting today.

通訳を雇えば，〜になるでしょう

通訳を雇えば，本会議はもっと効率的になると思います。

> I think that this conference will become more efficient if we have an interpreter.

通訳はこちらで手配します

こちらで通訳を手配いたします。

> We will bring our own translator.

＊— translator を interpreter と言い換えることができます。

通訳は〜に詳しい人です

今回の通訳は，この業界の技術用語に詳しい人です。

> A translator is very familiar with the technical terms for this industry.

プロの通訳ではありません

彼女はプロの通訳ではないということを初めにお伝えしておきます。
| I want you to know that she is not a professional translator.

私は，あくまでもプロの通訳ではなく，技術者であることをご承知いただければと思います。
| Please note that I am an engineer, not a professional interpreter.

通訳の経験はありません

最善を尽くすつもりですが，これまでほとんど通訳をした経験がありません。もし，会議の進行に支障がでるようでしたら，ご協力いただければと思います。
| Of course, I will do my best. However, I have little experience as a translator. Please help me if it gets difficult to proceed.

通訳を引き受けます

本日の通訳を私が引き受けますが，みなさまの寛容なご支援をお願いいたします。
| I'm going to be your interpreter today. I would appreciate your kind support.

〜の理由で通訳を引き受けました

この技術に関して専門知識をもっているという理由で，私が今回の会議の通訳を引き受けることになりました。
| They assigned me to do the interpreting job for this conference because I have specialized knowledge of this technology.

◆企業や官庁の部署名・役職名

●部署名

本社	Head Office, Headquarters
支社、支店	Branch Office
営業所	Sales Branch(Office)
工場	Factory, Plant
研究所	Laboratory
～本部	Bureau
～部	Department
～課	Section
～係	Subsection
～室	Office
～班	Group, Team
～担当	in charge of ...

*―以下は，部署名のあとに必要に応じてDepartmentやSectionなどをつける。

人事	Personnel
法務	Legal
経理	Accounting
財務	Finance
総務	Administration, General Affairs
庶務	General Affairs
秘書室	Secretaries' Office, Secretariat
営業	Sales
輸出	Export
輸入	Import
国内／海外営業	Domestic/Overseas Sales
販売管理	Sales Administration

お客様相談室 …………………Customer Support Office
原料 ………………………………Raw Materials
製造 ………………………………Production
広報 ………………………………Public Relations
研究開発 …………………………Research & Development
企画開発 …………………………Project Planning & Development
技術開発 …………………………Technical Development
商品企画 …………………………Product Development
品質管理 …………………………Quality Control
生産管理 …………………………Production Control

●役職名

最高経営責任者 ……………Chief Executive Officer
代表取締役 …………………Representative Director
会長 …………………………Chairperson
社長 …………………………President
副社長 ………………………Executive Vice President
取締役 ………………………Director
本部長・部長・室長 ………General Manager
次長 …………………………Assistant General Manager, Deputy Manager
課長 …………………………Manager
係長 …………………………Chief, Supervisor, Section Chief
主任 …………………………Senior Staff
〜補佐 ………………………Assistant ...
支店長 ………………………General Manager of Branch
営業所長 ……………………Director of Sales Office
工場長 ………………………Plant Manager
管理職 ………………………（地位）managerial post／（人）member of the management

Teatime ⑩

英語力を強化する❷
■アウトプットよりもインプットを重視する■

　神業のような同時通訳で一世を風靡し，現在も現役の同時通訳者として大活躍中の小松達也氏に，先日，講演をお願いしました。同氏は，さまざまな歴史の大舞台で通訳を務められ，現在は大学でも教鞭をとっておられます。私たち英語にかかわりをもつ者にとっては，偉大な大先輩であり，最高の英語力を備えられた真の Master であられるわけです。

　小松氏は日米財界人会議の通訳を長いあいだ務められ，日本を代表するビジネス・リーダーたちの英語力に直接，触れてこられたわけですが，たいへん重要な観察をご披露くださいましたので，ご紹介しましょう。

◆自分の意見を英語で言う力をつける

　小松氏は，以前は企業のなかでいわゆる「国際派」は偉くなれなかったが，これからは英語ができないとトップになれない時代だ，とおっしゃっていました。また，通訳者としての長いキャリアのなかでとくに印象的なビジネス・リーダーは，ソニーの盛田さんだったとのことです。盛田さんの英語はけっして流暢というわけではなかったけれど，なぜか彼のまわりには多くの外国人が集まったということです。その理由として，小松氏は以下の四つの理由をあげておられました。

- 言うことがユニークである
- はっきりとものを言う
- 論理がはっきりとしている
- Clear and simple である

日産のゴーン社長も同様の条件を備えているとも指摘しておられました。
　さらに小松氏は，これからビジネス・リーダーとして活躍するためにはつぎの三つの条件を満たすことが必要だ，とおっしゃっていました。

- Global citizen として通用するだけの英語力
- 自分自身の意見
- 人間としての魅力（Personal charm）

◆たくさん読んで，たくさん聴く

　それでは，具体的に英語力をつけるためには，どうしたらよいのか，Master のアドバイスはつぎのとおりでした。

① 　たくさん読む

　ほとんどの日本人の英語レベルと思われる初級から，中・上級にレベルを上げていくには，読むことが有効な方法だとのことで，小松氏ご自身も非常にたくさん本を読まれるそうです。英語を読まない人は英語がけっしてうまくならない，と断言しておられました。知的内容に興味をもち，意見を表明し，かつ闘わせることが本物の英語力をつける道だ，とおっしゃいます。

② 　リスニング力を鍛える

　CNN などの番組のトーク・ショーには，大統領から，国務長官，スポーツ選手，芸能関係者にいたるまでさまざまなゲストが登場するので，生きた英語を身につけるのに適しているとおっしゃっていました。ショーのやりとりはすべて transcript として公開されているから，耳からの学習の補助として使うことをお勧めするとのことです。

　いかがでしょうか？　英語の習得には，アウトプットよりもインプットがまずはたいせつです。小松氏の主張にまったく同感です。

　最後に，私自身の学習方法を具体的にご紹介しましょう。車を運転するときには，関心のあるテーマの英語の CD を聴きます。英語でのミーティングを控えているときなどは，CD の音声のあとを追って発声します。これは同時通訳の訓練で使われるシャドーイングという手法ですが，英語習得にも強力な武器となります。寝るときは，英語の本や雑誌に目を通します。まぶたが閉じそうになったら，すかさず CD プレーヤーのスイッチを入れます。つまり，英語をできるだけたくさん読んで，たくさん聴く。そして，そのことを日常の習慣のなかに儀式として取り込む——これが無理なく長く続ける秘訣です。みなさんも，ぜひお試しを！

第4部

成功するミーティングの技術

スキルとツール

第4部 | 成功するミーティングの技術

第1章
成功に導く四つのポイント

――充実させるための心得――

　ミーティングでは参加者が各々の目的を達成し，しかもグループ全体としても共通の目的を達成しなければなりません。参加者全員が最高の利益を得られてこそ，会議は成功したといえます。この章ではミーティングを充実させる技術を紹介します。

1―アウトプットを明確にする――ポイント❶

　ミーティングを実施する際は，事前にその目的を明らかにしておきましょう。参加者全員が同じ方向を向いて話し合う姿勢こそが，ミーティングの成功をもたらします。むだなく効率的にミーティングを進めるためにも，与えられた時間内にどのようなアウトプット（結果）を手にするべきかを事前に予測しておく必要があります。アウトプットが具体的であればあるほど，ミーティングの内容を充実させることができます。

　ここでアウトプットの例を紹介します。

▶アウトプットの例
- ある事柄の是非を問う
  - プロジェクトAを実施するか否かを決定する。
  - B社と合弁するか否かを決定する。
- あるアクション・プランに対する具体的な手順を決定する
  - どのような方法でシェアを業界1位にするかを決定する。
  - どのような方法で社員の能力を査定するかを決定する。

- 問題を解決する方法を考える
    - 前年度より30パーセント売り上げが減少している。この問題の解決方法を決定する。
    - カスタマー・サービスへのクレームが急増している。この問題の解決方法を決定する。

ただし，ミーティングを実施するまえに予測したアウトプットと，実施後に出された結論とがかならずしも一致する必要はありません。ミーティングをとおして，二次的，三次的な結果が導かれることがあります。

2—全員の活発な意見を引き出す—ポイント❷

ミーティングでは，権力者や優れた発表技術をもつ人の意見だけが優先されるのではなく，参加者全員の活発な意見が引き出されなければなりません。したがって，だれもが自由に発言できる環境を設ける必要があります。ファシリテーターはミーティングが一方向の伝達の場になっていないかを気にかけるようにしましょう。

ここで，参加者全員の意見を引き出す方法をいくつか紹介します。

▶意見を引き出す方法
- 進行役（ファシリテーター）による発言者の指名
    - →事前に参加者の名簿を用意し，平等に指名する。
- ペアリング（2人組み）・小グループの結成
    - →5名以下の小さなグループで意見を出す時間をつくる。
- 無記名でのアイディア提出
    - →「優れた意見」を引き出せる（アイディア提示者の役職や性別等に左右されることがない）。
    - →インターネットを利用する場合には，チャットに意見を書き込ませ，ファシリテーターが興味深いものを読み上げるという方法も有効である。

3—全員にとって有益な結果を導く──ポイント❸

　ミーティングでは，参加者全員が最大の利益を得なければなりません。一部の人間が利益を得るだけでは，それ以外の参加者のモチベーションを下げることになります。全参加者に有益な結果を導くステップは以下のとおりです。

▶有益な結果を導くステップ

① ステップ1：結論に対する複数の選択肢を用意する

(複数の選択肢を列挙)

　　──→選択肢は最初から一つに絞り込む必要はない。自由な発想のもとで参加者からいくつかの提案を引き出すことが重要である。

② ステップ2：選択肢を評価する判断基準を設ける(判断基準の設定)

　　──→判断基準の決定は一つの重要なキーとなる。参加者全員が納得いくまで話し合い，客観的な判断基準を決定するようにする。

③ ステップ3：ステップ1の選択肢をステップ2の基準で評価する

(選択肢の評価)

　　──→このステップにおいては，表などを利用して各提案の評価内容を一目で比較できるような工夫をするとよい。

④ ステップ4：参加者が相互に利益を得られる案を選択する

(決定案の選択)

　　──→ステップ1では自由な発想を出し合い，ステップ2では客観的に評価基準を決定しているから，ここで選択された提案には高い説得力がある。

このステップを活用した例を紹介します。

▶ステップの使用例

［ミーティングのテーマ：新規商品の販売促進方法は何か］

① ステップ1：複数の選択肢を列挙

　　選択肢1－テレビ・コマーシャル放映

　　選択肢2－メール・マガジン広告

　　選択肢3－テレ・マーケティング実施

　　選択肢4－訪問販売

② ステップ2：判断基準の設定

　　判断基準1－販売促進費用が安価であること（価格）

　　判断基準2－瞬時に複数の消費者に告知できること（時間）

③ ステップ3：選択肢の評価

　　（ステップ1の選択肢を，ステップ2の判断基準で評価する）

　　選択肢1－テレビ・コマーシャル放映──→（価格×・時間○）

　　選択肢2－メール・マガジン広告────→（価格○・時間○）

　　選択肢3－テレ・マーケティング実施─→（価格△・時間×）

　　選択肢4－訪問販売──────────→（価格×・時間×）

④ ステップ4：決定案の選択

　　販売促進費が安価で，しかも告知に時間のかからない選択肢2の「メール・マガジン広告」に決定する。

4 ─ 成功に導く有益な話し方や態度を身につける ── ポイント❹

　最後に，ミーティングを成功に導くもう一つのポイントにふれておきましょう。それは有益な話し方（言語），服装や態度（非言語）を身につけることです。準備した資料をただ読みあげるのでは，他の参加者に真意は伝わりません。「相手に伝えよう」という気持ちをもって話すことがスキル・アップに直結しています。

　以下に示す話し方や態度の技術はたいへん基本的なことであり，容易に習得できます。しかし，一方で，これらを習慣づけるには努力も必要であることを心に留めておきましょう。

▶話し方や態度のスキルアップ
① 話し方（言語技術）の磨き方
- はっきりと話す────────・明瞭な発音や音声で話す。
　　　　　　　　　　　　　・音声に強弱や高低をつける。
　　　　　　　　　　　　　・明確な表現を心がける。
- 表情ゆたかに話す───────・重要なポイントを強調する。
　　　　　　　　　　　　　・スピードの変化によって重要なポイントを示す。

② 服装や態度（非言語技術）の磨き方
- ミーティングにふさわしい（プロらしい）服装を心がける
- 身体の一つ一つに気を配る
    - 顔の表情──ほがらかな表情で発言を開始すると，聞く側に安心感を与えます。また，伝えたい内容に応じて顔の表情を使いわけることで，言葉では伝えきれないコンテキストまで伝えることができます。
    - 手の位置──伝えたい内容にあった自然な手の動きを心がけてください。ただし，腕を組んだり腰に手をあてたりした姿勢は，「防衛」や「怒り」の姿勢と取られる場合があるので注意しましょう。
    - 立ち方──立って話す場合は体重を両足に均等にかけ，姿勢を整えましょう。きちんとした起立の姿勢は発言者の余裕と自信を表わします。
    - ミーティング・スペースの使い方──情報伝達が目的の場合は発表者が一か所に立ち，ミーティング・ルーム全体に向けて発言をするとよいでしょう。ブレインストーミングが目的の場合は，参加者全員がミーティング・ルーム内を自由に動ける環境をつくり，各自の考えを自由に引き出すようにします。

第4部 | 成功するミーティングの技術

第2章
成功させるための環境づくり

———効果的なセッティング———

　優れたミーティング環境はよりよいアウトプットを生み出します。「ミーティング・ルームのサイズ」や「机や椅子の配置」などがミーティングの完成度に影響を与えます。最近は椅子を使わずに立ったまま，やや高めの長円テーブルを囲んで会議をするスタンディング・ミーティングという形も試みられています。ミーティングの目的をじゅうぶんに考慮したうえで最適な環境づくりを心がけましょう。

1 ― レイアウト

　座る位置は各自の集中力に大きな影響を与えます。窓やドアは外部からの情報の入り口です。こうした情報が参加者の発想力を高める場合もありますが，集中力の妨げとなる場合もあります。つねに，もっとも効果的なレイアウトを考えながらミーティングの準備にかかることがたいせつです。

◆参加者と窓との位置関係

　窓の外が見えると，参加者の注意力が散漫になることがあります。このような場合は，参加者の背に窓を置いたり，ブラインドを閉めたりして集中力を高めましょう。一方，窓の外を眺めることは，参加者の「創造性」を高めるともいわれています。状況に応じて参加者の座る位置を指示しましょう。

◆参加者とドアとの位置関係

　ミーティングの最中にドアを開閉すると，参加者の集中力が妨げられま

す。ミーティング・ルームに複数のドアがある場合は，デスクからもっとも離れたドアを開放し，ほかは閉鎖しましょう。このような方法で入退室の経路をコントロールすることができます。かなり厳格な場合は，ドアに「出入りは休息時間のみにお願いします」といった張り紙を貼ってミーティングに臨む企業もあります。このような場合は，外部からの急な通知が受けられるように，最低でも一人は絶えずドアが見える位置に座るようにしましょう。

◆座席と机の配置

　ミーティングを活発化させるには，参加者全員がお互いの顔を見られるようにすることが好ましいです。そのために「半円」や「円」のデスクを用いるか，長方形のデスクを「コの字型」や「ロの字型」に配置してみましょう。

　ファシリテーターや責任者がミーティング・ルームの頂点に座り，参加者のすべてがその方向を向く，通常「スクール形式」と呼ばれるデスク配置は，自由な意見交換の妨げとなる場合があります。また，ペアリングやスモール・グループでの討議を導入する際は，いつでもデスクのフォーメーションを変更できる可動式の椅子が便利です。

2—黒板・ホワイトボード・フリップチャートの使用

　ミーティングを実施するうえでたいせつなことは，参加者全員が情報を共有することです。議論が進むにつれて新しいアイディアが出され，徐々に参加者全体の考えにも変化が生まれます。この変化をリアルタイムで共有しあうのに，ボードの使用が有効です。

　ボード記入の目的はあくまでも「アイディア」を書き出すことであり，「発表者名」を示すものではありません。ボードは全参加者のアイディアを平等に披露できるアリーナと考えましょう。

　また，ミーティング・ルームのレイアウトが変化するのであれば，それに応じて位置を移動できる可動式のボードが便利です。

コの字型

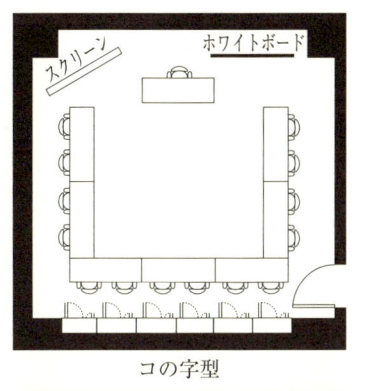

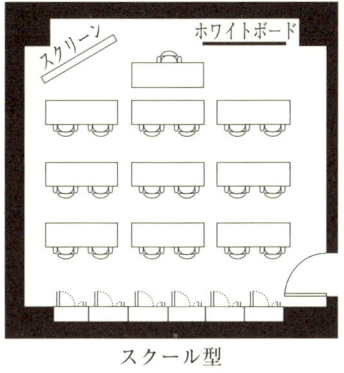

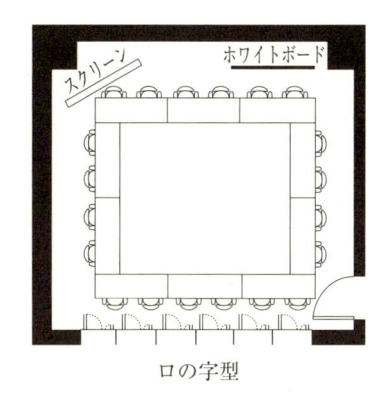

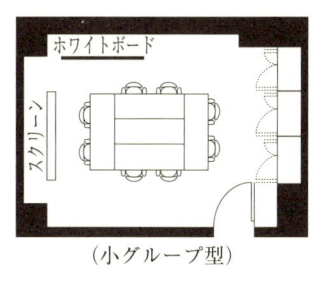

ロの字型

スクール型

（小グループ型）

◆黒板・ホワイトボード

　黒板はマグネットの使用が可能という利点から，現在でも需要があります。ただし，チョークの粉がコンピューター機器に影響をおよぼす危険があるので，黒板とコンピューターの位置はあらかじめ離しておくとよいでしょう。

　ホワイトボードは，黒板と比較してチョークの粉が与えるコンピューターへの悪影響がないことから，近年，需要が高まっています。書記が使いやすいペンの種類を事前に確認しておくとよいでしょう。とくに指定がない場合でも，基本の３色（黒・赤・青）を用意しておきましょう。最近はとくにプリントアウト機能つきのホワイトボートが好評です。

◆フリップチャート

　模造紙よりやや小さいサイズの紙がノートのように束ねられているものです。使用後，ページごとに切り離すこともできれば，束のまま管理することもできます。また，フリップチャート用のスタンドを使用することによって貼ったり，剝がしたりする必要もありません。外資系の企業ではよく使用されています。

3——機械・器具の選択

　ここではミーティングに便利な機械や器具を紹介します。社内でミーティングを実施する際は，事前にじゅうぶんな機械や器具がそろっているかどうかを確認しておきましょう。また，ミーティング・スペースのない企業は，外部の施設を利用する場合があります。その際は，必要な機械や器具がじゅうぶんにそろっている会場を手配することがたいせつです。

◆コピー・マシーン

　ミーティングの直前に新しい資料が提出されることや，ミーティングの最中に資料の訂正がでることがあります。このような場合，コピー・マシーンがあると，たいへん便利です。ソーターやホチキス止めの機能がついていると，複数の人にコピーを配布することもでき，時間と手間の短縮になります。

◆ファクシミリ

　外部との緊急な連絡の際，ファクシミリでの情報の受発信は会話の妨げとなりません。また，外部の施設を利用する場合でも，ミーティングでの決定事項をすぐに会社に送信することができます。

◆コンピューター・LAN 環境

　ミーティング会場に外部からコンピューターを持ち込む際は，プロジェクターやプリンターといった周辺機器との接続が可能かどうかを事前に調べて

おきましょう。また，会場にLAN環境が整っていると，インターネットによる即座の情報収集が可能となり，たいへん便利です。

◆プロジェクター

　プロジェクターは，ミーティング参加者の情報共有を可能にします。プロジェクターを使用する際は，照明の調整がしやすいミーティング・ルームを選びましょう。プロジェクターにコンピューターばかりではなく，書画カメラなどの機械が接続されている場合は，接続の切り替え方法をじゅうぶんに理解しておきましょう。

◆プリンター

　プリンターを使用することで，会議の最中にコンピューター上で新たに作成した書類をその場で参加者に配ることができます。プリンターに接続されているコンピューターが，FD（フロッピー・ディスク）やMO（マグネット・オプティカル）といったファイル保存機器に対応しているかどうかを前もって調べておきましょう。

◆デスク

　通常，長さ150cmのデスクは2人で使用され，180cmのデスクは3人で使用されています。身体の大きな欧米人が参加するミーティングでは，足を組んでも，膝が机の下に収まる高さのものを用意しましょう。女性が参加するミーティングでは，脚隠しボードつきのデスクが好評です。ボードつきがない場合は，クロスをかけましょう。

◆椅子

　長時間にわたるミーティングでは，参加者の身体に過度な負担がかかる場合があります。高さや背もたれの角度を参加者に合わせて調整できるものは負担を軽減します。また，ミーティングの最中に参加者が移動する場合は，可動式の椅子が便利です。

第4部 | 成功するミーティングの技術

第3章
わかりやすい資料づくり

――作成と配布のコツ――

ミーティングを充実したものにするためには，参加者全員の目線をそろえておく必要があります。資料は参加者の意識や知識レベルを統一させる際にたいへん役に立つツールです。資料は目的に応じてミーティングの「まえに必要なもの」「最中に必要なもの」「あとに必要なもの」に分けることができます。各資料の特徴と用途を理解しておきましょう。

1 ― ミーティングのまえに必要な資料

ミーティングのまえに配布する資料は，ミーティングが開催されることを知らせるためのものです。したがって，読み手の立場に立って「いつ」「どこ」で「何を目的」にミーティングが開催されるかを明示する必要があります。

◆タイトル

タイトルはミーティングの課題が一目で理解できるものにしましょう。たとえば，「営業本部・全体ミーティング」を「営業本部・売上目標見直しミーティング」にするだけで，課題がより具体的になります。

◆日付・時刻・会場

ミーティングの日付・時刻および会場は，資料の最初の部分に明記しておきましょう。会場までの地図や，電車・バスの時刻表など公共機関情報を添付すると，参加者の負担を軽くすることができます。

◆時間
　ミーティングの開始時間と終了時間を記載しましょう。また，議題ごとの時間配分を知らせておくこともたいせつです。ただし，細かすぎる時間の設定は議事進行の妨げになる場合がありますので，注意しましょう。

◆主催者・担当者
　ミーティング開催の主催者および担当者を明記しておきましょう。担当者の電話番号やメール・アドレスを記載しておくと，参加者が問い合わせをする際や，議事の変更や追加依頼をする際に役に立ちます。

◆目的
　ミーティングの目的を明記しておきましょう。目的が明確であればあるほど，期待されるアウトプットもより具体化します。このことによって，参加者が同じ方を向いて議論に打ち込むことができます。

◆参考資料
　参加者に目を通してもらいたい資料は事前に配布しておきましょう。とくに，ボリュームのある資料などは，参加者に読む時間をじゅうぶんに与えるうえでも事前の配布は効果的です。

◆開催通知の配布方法
　開催通知の代表的な配布方法は「電子メール」や「グループウエア」によるものです。これらの方法で配布する場合は，以下の点に注意しましょう。
　　◦電子メールの題名にミーティングのタイトル・日時を記載する
　　　　⟶参加者があとで見直すときに便利。
　　◦必要な情報はパソコンの1画面に収める
　　　　⟶スクロールの必要がなく，情報が見やすい。
　　◦参加してもらいたい人に対しては直接，電子メールを送信する
　　　　⟶自分宛の電子メールと受け取り，確実に読んでもらえる。

2─ミーティングの最中に必要な資料

ミーティング中に必要な資料は発表者の発言を助けるものでなくてはいけません。この点を念頭に入れて資料を作成しましょう。

◆主旨は明確にする

ミーティングで使用する資料の主旨は明確でなければいけません。必要に応じて解説を加えるようにしましょう。たとえば，「今期の売上推移のグラフ」をだけを配布したのでは，参加者は何を議論すべきかわかりません。このような場合はグラフに簡単な解説文を加えたり，口頭で簡単な説明を加えたりするだけで，議論の方向性が明確になります。

◆読み手を意識してつくる

読み手の情報をじゅうぶんに分析したうえで資料を作成しましょう。配布される側の年齢・性別・役職・文化的背景・使用言語などを考慮に入れ，読む側の立場に立って作成することを忘れてはなりません。

◆データは正確なものを提出する

商品企画会議における「マーケット情報」，販売会議における「売上予測」，開発会議における「コスト見積もり」など会議に提出される数値的なデータは正確でなければいけません。また，既存のデータを使用する際は，かならず出典を明らかにしておきましょう。

◆ワンセンテンス・ワンテーマを心がける

ミーティング中に配布する資料は，一目でその内容が理解できるものでなければなりません。一つのセンテンスに一つのテーマを心がけましょう。

◆発表内容にあわせて作成する

発表時の使いやすさを考えて資料を作成しましょう。発表者の示したい論

点ごとに資料を分けて作成しておくと，進行状況にあわせて資料を選抜でき，たいへん便利です。

◆図形やグラフは簡潔につくる

使用する図面やグラフは，一目で見て理解できるものでなければなりません。また，図面やグラフが作成者の意図と違った方向で解釈される可能性がある場合は，簡単な解説を加えておくとよいでしょう。

◆進行に応じて効果的に提示する

参加者に賛同なり，承認なりしてもらいたい点は，パワーポイントなどのプレゼンテーション・ツールを用い，ミーティングの進行に応じて効果的なタイミングで提示しましょう。

3 ― ミーティングのあとに必要な資料

ミーティングを開催したあとに必要となる資料とは，「報告書」や「議事録」のことです。それぞれの目的は異なりますが，重要なことは，ミーティングの内容を正確に伝えることです。

◆資料に記載する項目

資料に記載する項目としては，「日時」「場所」「出席者」「議題」「ミーティングの内容」「決定事項」「ミーティングの資料一覧」があります。これらの項目はすべて記載したほうがよいでしょう。ミーティング中に使用された資料は添付して配布します。

◆議事録と報告書との違い

議事録と報告書との違いは配布先です。議事録は参加者に配布するもので，報告書は参加者以外に配布するものです。

◆議事録のポイント

議事録のポイントは正確であることです。ミーティングの内容を完全に記載する場合と，要旨のみを記載する場合とがあります。議事録を配布することでミーティングでの決定事項を参加者に周知徹底しましょう。

◆報告書のポイント

報告書のポイントはミーティングの議題と決定事項とをわかりやすく，簡潔に伝えることです。決定事項が導かれるまでのプロセスは，必要な部分だけを記載しましょう。議題に関係しない発言は省略してもかまいません。

◆資料の再確認

資料を作成したあとは，つぎの点を再度，確認しておきましょう。「時期や期限があいまいになっていないか」「数字や桁数は正しいか」「全部たしても100パーセントにならないものはないか」「決定事項の実行者や責任者は明確になっているか」「出席者の氏名や役職名は正しいか」。これらの点は自分でチェックするだけでなく，ほかの出席者にも確認してもらいます。

◆資料を作成するタイミング

議事録や報告書などは，ミーティングの直後に書記が書くのが一般的です。また，最近では，パソコンやプロジェクターを用いてミーティング中に作成されることもあります。この場合のメリットは，参加者全員がミーティングの時間内に内容を確認できるということです。ただし，時間的な制約のなかで作成するわけですから，一定のスキルが要求されます。

◆資料の配布と管理

近年，ミーティング後の資料は電子メールで配布されることが一般化してきました。また，グループウエアを用いて一定の場所に保存し，ミーティングの関係者が参照する場合もあります。この保存方法のメリットは，配布後に修正や追加がでても再配布する必要がない点です。

第4部　成功するミーティングの技術

第4章
便利なフレームワークの活用

――合理的な議論の秘訣――

　ミーティング後に議事録をチェックしていたら，「しまった，これが抜けていた」という苦い経験はないでしょうか。このような問題を解決するには「フレームワーク」というツールが便利です。フレームワークを活用してミーティングに参加すれば，いままで以上に成果をあげることができます。

1――フレームワークを使う意義

　テレビのような電気器具には，電圧や周波数，寸法や重量といった仕様項目の一覧表がついていますが，メーカーはすべての仕様項目のみが記載されているフォーマットをもっています。これが「フレームワーク」です。このおかげで，消費者が必要とする情報をモレなく，ダブリなく記載することができるのです。ミーティングでも，議論したい項目の「フレームワーク」を事前に用意して臨めば，モレやダブリを心配することなく，効果的に議論を進めることができます。

2――フレームワークのメリット

　ミーティングをするとき，はじめにアウトプット（結果）のイメージがあると，議論をまとめやすくなります。このアウトプットのイメージを提供するのが，フレームワークです。

▶フレームワークのメリット
　① 議論する内容の全体像を明確にできる

② 議題にモレやダブリがないかを確認できる
③ 項目ごとの時間配分ができる
④ フレームワークそのものを議事録に使用できる

　参加者全員がフレームワークにそって議論をすると，むだがなくなり，議論の進み方がスムーズになります。その結果，短い時間で質の高いミーティングを実施することができます。

3―フレームワークの活用方法

　主催者はフレームワークを事前に配布しておきます。参加者はそれに従って準備をしましょう。フレームワークを使ってモレやダブリの心配がなく導かれた結論を，書記係がコンピューターに直接，打ち込むことが理想的です。その内容をプロジェクターで映しだせば，参加者全員に内容の確認をしてもらえます。さらに，ミーティングの終了と同時に議事録も完成します。

（例）事前に配付するフレームワーク

	問題点	回答・対策	担当者	期限	…
1	製品Aの生産歩留まりが90%と悪い。99.8%以上にするための改善対策が必要。				
2	製品Bの品質が±5.0と，ばらつきが多い。±2.0以内に抑えることが必要。				
3	部品Xの年間在庫費用が100万円かかっている。20万円以内に削減することが必要。				
	………				

4 — フレームワークの種類

フレームワークには，既存のものと自分で作成するものとがあります。自分にぴったりあったフレームワークは，ミーティングを効果的に進めるうえでたいへん役にたちます。ここでは，「5W2H」「SWOT」「3C」「4P」という既存のフレームワークを紹介します。自作のフレームワークをつくるときの参考にしましょう。

◆5W2H

5W2Hとは，「だれが（Who）」「いつ（When）」「どこで（Where）」「なぜ／どんな目的で（Why）」「何を（What）」「どのように（How）」「コストは（How much）」という七つの要素を指しています。とくに「コスト」意識は利益を求める企業にとっては重要なので，忘れずに入れましょう。これをホワイトボードに書いておき，議論が終わった項目には終了を示すマーク（×）を入れていくと，モレがなくなり，議論が論点からはずれるのを防ぐこともできます。

新規事業の検討
×1. Why ―――― なぜこの事業をスタートするのか（勝ち目はあるか）
×2. What ―――― 戦略とするマーケットは何か
×3. Where ―――― どこにターゲット市場があるか
4. When ―――― 事業化の時期はいつか（タイミングはよいか）
5. Who ―――― 誰があるいはどのチーム・組織が担当するのか
6. How ―――― どのようにビジネスプランを成功させるか
7. How much ―― この事業にはどのくらいの資金が必要か

◆SWOT

SWOT（スウォット）とは，「強み（Strengths）」「弱み（Weaknesses）」「機会（Opportunities）」「脅威（Threats）」の略です。販売方針や問題解決，新製品の開発など経営の戦略を立案する際に現状を分析するツールで

す。また，自社の内部環境や外部環境を知るのにとても便利なフレームワークです。つぎのような「SWOT 表」をつくり，議論しながら表に書き込んでいきます。

(例) SWOT の表

S［自社の強み］	W（自社の弱み）
O（外部環境の機会）	T（外部環境の脅威）

[SWOT で検討すべき内容]
① 自社の「強み」と「弱み」を把握する（内部環境）
- 開発力の強みは？ 弱みは？
- 営業・販売の強みは？ 弱みは？
- 製造の強みは？ 弱みは？
- 商品の強みは？ 弱みは？
- その他

② 他社との「機会」と「脅威」を把握する（外部環境）
- 競合する他社の動きは？
- 顧客の動きは？
- 業界の動きは？
- 技術の動向は？
- IT の動向は？
- その他

意見が出つくしたら，このマトリックス表を参加者で確認し，考察してみ

ましょう。自社の現状と，それを取り巻く外部環境の状況が見えてきます。

(例) 芸能プロダクションの SWOT 分析

S（自社の強み）	W（自社の弱み）
・在庫（1000人のタレント）が豊富である。 ・番組を独自で制作する能力を有する。 ・電力会社と合併会社を創立し，ブロードバンドのコンテンツ事業を開始した。 ・200x年3月期売上高340億円である。	・ダブル・ブッキングやスケジュール・ミスが多い。 ・ライバルがいないので，うぬぼれが生じている。 ・舞台では毎日，同じ芸をするわけにはいかない。
O（外部環境の機会）	T（外部環境の脅威）
・光ファイバー網によりブロードバンドが普及しつつある。 ・台湾のテレビ局が当社に興味をもっている。 ・スポーツ選手をマネージメントするニーズがある。	・お笑い市場が300億円で頭打ちである。 ・テレビ番組制作市場は年間5000億円ある。 ・コンテンツ・メーカーからのバッシングが増加している。

◆ 3C

ターゲット顧客を分析し，マーケティング戦略を考える際に，最初に使われるのが3Cといわれるフレームワークです。3Cとは「顧客・市場（Customers）」「競合（Competitors）」「自社（Company）」の略です。これに「協力者（Collaborators）」を加えて4Cとすることもあります（「Teatime ⑦」参照）。

▶ **顧客・市場（Customers）**

「どの市場が自社にとって大きな影響をおよぼしているか」「顧客が製品を購入するとき，何を重視しているか」「いまの製品では満たされていない顧

```
        顧客・市場
        (Customers)
       /          \
    自社          競合
  (Company)   (Competitors)
```

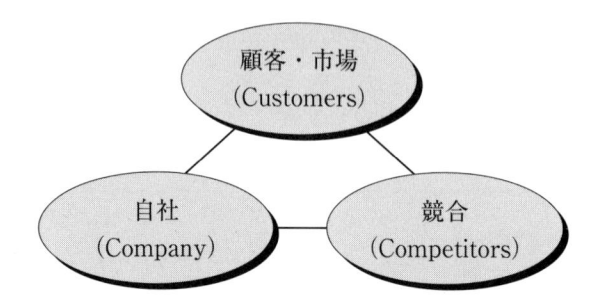

客ニーズは何か」を分析します。顧客の顔を思い浮かべながら，「どんな年代層の人が買うのか」「どのエリアに住んでいる人が多いか」「買う目的は何か」などを具体的に検討しましょう。ここでの市場調査こそが分析の基礎になります。

▶競合（**Competitors**）

　「競合はどこか」「将来はどこが競合に成長するか」を分析します。そして，戦略パターン，売上げ，市場シェアなど相手の技術力や販売力を総括的に洗いだし，強みと弱みをきちんと分析しましょう。競合の弱みを見つけて自社の強みをぶつければ，ライバルに勝ちやすくなります。

▶自社（**Company**）

　自社の経営資源（ヒト・モノ・金・情報）を客観的に把握することが鍵です。競合と同じく自社の力を厳密に分析します。このとき，自社の強みも弱みも率直に認めて企業の現状を多角的に直視することが重要です。

◆ 4P

　ターゲット顧客が決まったら，つぎは売る戦略です。「どうしたら売れる仕組みを作れるか」に答えるのに有効なのが4Pのフレームワークです。これは，「製品（Product）」「価格（Price）」「チャネル（Place）」「プロモーション（Promotion）」の頭文字をとったものです。マーケティング戦略の検討をする際は，この4Pを考えれば，ほぼモレやダブリがありません。

▶製品（**Product**）

　顧客に提供する製品やサービスを企画・開発することに関する事項で，機

```
        製品                価格
      (Product)           (Price)


      チャネル            販売促進
      (Place)           (Promotion)
```

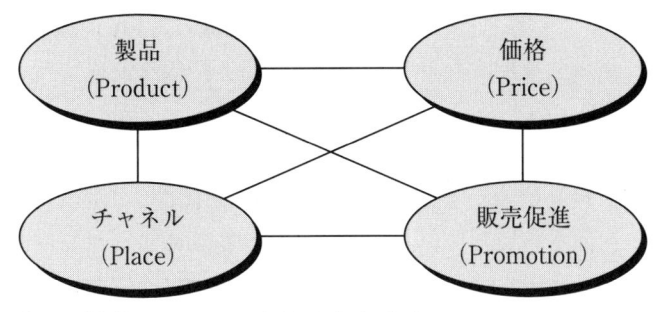

能・サービス・品質・ブランドなどがあります。

▶**価格（Price）**

　製品やサービスの取引きを円滑にするための価格を設定する活動で，売れ筋価格・標準価格・取引価格・支払条件・値引きなどがあります。

▶**チャネル（Place）**

　製品を欲している消費者のもとに届けるための流通経路の設計や物流に関する活動で，物流拠点・販売エリア・輸送方法・店舗などがあります。

▶**プロモーション（Promotion）**

　製品の存在を知らせ，需要を喚起するための活動で，広告・販売方法・パブリシティなどがあります。

◆自作のフレームワーク

　既存のフレームワークを参考にしながら，自分専用のフレームワークを作成してみましょう。全体が一目で理解できるように，フレームワークはできるだけ１枚の用紙に収まるようにしましょう。

　自作のフレームワークを作成するには，つぎのような方法があります。

① 既存のフレームワークを複数組み合わせる

　　5W2H，4P，3C などを組み合わせて作成します。その際に，4W1H のように必要な項目だけを使用することも可能です。

② 独自のフレームワークと既存のフレームワークとを組み合わせる

　　既存のフレームワークに列や行を加えて作成します。4P に

「案1・案2・案3」を加えたり，3Cに「A地域・B地域・C地域」を加えたりするだけで，新しい表を完成することができます。
③ まったく新しい「独自のフレームワーク」をつくる

　　最初はなかなかアイディアが浮かばないものです。しかし，何回も作成しているうちに，使い勝手のよいフレームワークと出会えるものです。項目にモレやダブリがでないように注意しましょう。

(例) マーケティング戦略の提案書

	案1	案2	案3
製　　品			
価　　格			
チャネル			
販売促進			

（「4P」と「案」のミックス）

(例) マーケティング戦略の実行計画書

	内　　容	担当者	期限	……5W2H……
製　　品				
価　　格				
チャネル				
販売促進				

（「4P」と「5W2H」のミックス）

　自作のフレームワークを作成する際は，一度で完全なものにする必要はありません。少しずつ修正して徐々に完成度を高めていけばよいのです。

■参考文献 (順不同)

"THE PRESENTATION SKILLS WORKSHOP" Sherron Bienvenu
(AMACOM)
"The Presentation Survival Skills Guide" Jim Endicott, Scott W. Lee
(Distinction Publishing)
『会議革命』齋藤孝(PHP)
『会議が絶対うまくいく法』マイケル・ドイル＋デイヴィット・ストラウス，斉藤聖美［訳］(日本経済新聞社)
『会議が変われば，会社が変わる』HRインスティテュート・野口吉昭［訳］(PHP)
『会議英語』大杉邦三(大修館書店)
『ビジネスミーティングの英語表現』ロッシェル・カップ(ジャパンタイムズ)
『速習!! Business Talk ②てきぱき会議・ミーティング編』創育編(創育)
『英語の議論によく使う表現』崎村耕二(創元社)
『ネゴシエーション・会議に必要な英語表現』篠田義明(日興企画)
『論理的に話すための基本英語表現』石井隆之，村田和代(ペレ出版)
『今日から使えるビジネス現場の交渉術』藤井正嗣，Christina Welty(アルク)
『ビジネス交渉の英語』井洋次郎，V. ランダル・マッカーシー(ジャパンタイムズ)
『即戦ビジネス英語』藤野輝雄(郁文堂)
『CDではじめるビジネス英会話入門』飯嶋泰(池田書店)
『会社で使う英会話』(株)ディー・オー・エム，味園真紀，ペラルタ葉子(ペレ出版)
『アメリカ人はこうしてプレゼンに自信をつけている！』Vivian Buchan，川村正樹［訳］(スリーエーネットワーク)
『英語プレゼンテーションの技術』安田正，ジャック・ニクリン(ジャパンタイムズ)
『デジタル対応プレゼンテーション』中嶋秀隆，マット・シルバーマン
(日本能率協会マネージメントセンター)
『図解 ロジカル・プレゼンテーション』西村克己，彼谷浩一郎(日刊工業新聞社)
『理科系のための英語プレゼンテーションの技術』志村史夫(ジャパンタイムズ)
『英語仕事術 商談・プレゼンテーション編』宮川幸久，ダイアン・ナガモト，Chris Cataldo(アスク)
『英語ビジネススピーチ実例集』井洋次郎，V. ランダル・マッカーシー
(ジャパンタイムズ)
『ビジネス英語スピーチ』津田幸男(創元社)
『今日から使えるビジネススピーチ』小坂貴志，David.E.Weber(アルク)
『英語論文すぐに使える表現集』小田麻里子，味園真紀(ペレ出版)
『会社の英語すぐに使える表現集』味園真紀，(株)ディー・オー・エム(ペレ出版)

●著者紹介

●**藤井正嗣**（ふじい・まさつぐ）
▶1948年、福岡県に生まれる。
▶早稲田大学・理工学部・数学科在学中にカリフォルニア大学（バークレー）数学科に留学し、同学科（1972）および同修士課程卒業（1974）。
ハーバード・ビジネス・スクール AMP（上級マネジメントプログラム）修了（1999）。
▶1974年、三菱商事株式会社入社。クアラルンプール支店食料マネージャー、アメリカ食料子会社会長兼社長、国際人材開発室長、インド冷凍物流合弁会社エキュゼキュティブ・ディレクター、グローバルイングリッシュ・ジャパン株式会社代表取締役社長などを歴任。
▶NHK教育テレビ─3か月英会話「イエスと言わせる──ビジネスマンの説得術」（1997）、同─英語ビジネスワールド「Lead！─The MBA Way─」（2000─2001）講師。
▶現在、早稲田大学・理工学部客員教授
▶おもな監著書：『今日から使えるビジネス現場の交渉術』（アルク）、
『ビジネス英語文書実例集』（ナツメ社）、『英会話◎表現、×表現』（日本経済新聞社）、
『英語で読み解くハーバードAMP』『仕事現場の英会話 商社編』（DHC）、
『英語で学ぶMBAベーシック』（NHK出版）、
『英語でプレゼン そのまま使える表現集』（日興企画）など。

●**野村るり子**（のむら・るりこ）
▶1961年、東京に生まれる。
▶ペンシルベニア州立大学・体育学部卒業。
慶應義塾大学大学院・経営管理研究科においてMBAを取得。
フルブライト奨学生としてハーバード教育大学院にてEdMを取得。
▶日米双方のオリンピック委員会指定クラブにて体操競技を指導。
その後、外資金融・IT関連企業のトップ・エグゼクティブのもとでビジネス経験を積む。
▶現在、教育コンサルティング会社㈱ホープスを設立し、同社代表取締役。
キャリア・アップ講座や留学準備講座、スポーツ教室などを開講している。
教育コンサルタント、日本体育大学講師（スポーツサービス論）。
▶おもな著書：『英語でプレゼン そのまま使える表現集』（日興企画）など。
▶㈱ホープスURL=http://www.hopes-net.org　E-mail=info@hopes-net.org

[協力者]
▶原稿作成─────────宮本久男，林省吾，齋藤文徳，林英恵
▶英文翻訳・校正───────藤村静佳，リッチ・モロー，アビ・フリューウ，
　　　　　　　　　　　　　　山口充起，笹倉優子
▶データ収集など──────朝川哲司，佐々木大介，田中智子，田中美恵子，
　　　　　　　　　　　　　　怒賀良平，宮原暁美，濱田誠
▶協力────────────小林心（セミナーコーディネーター／セミナープラザ東中野）

英語でミーティング──そのまま使える表現集

2004年7月22日…初版発行	発行者…竹尾和臣
2007年12月5日…3版発行	制作者…嶋田ゆかり＋友兼清治
	発行所…株式会社日興企画
	〒104-0045　東京都中央区築地2-2-7　日興企画ビル
	電話＝03-3543-1050　Fax＝03-3543-1288
	E-mail＝book@nikko-kikaku.co.jp
	郵便振替＝00110-6-39370
著者……藤井正嗣	印刷所…シナノ印刷株式会社
野村るり子	定価……カバーに表示してあります。

ISBN978-4-88877-640-0 C2082

©Masatsugu FUJII & Ruriko NOMURA 2004, Printed in Japan

【小社出版物のご案内】各A5判／定価・価格はすべて税込みです。

﨑村耕二　強くなる英語のディスカッション
232ページ・定価2415円
意見や主張をきちんとやりとりし、上手に議論するための基礎表現と解説。ちょっとした意見交換から討論、会議、交渉まで使用頻度の高い表現を精選。

浅見ベートーベン　場面別・ネゴシエーションの英語
216ページ・定価2100円
社内準備から成約まで／そのまま使える文例と技術
英語でのビジネス交渉で直面する様々な場面での表現。交渉の特徴、手順、心得、技術についても社内準備〜成約の流れに沿って解説。

▼国際ビジネス実戦セミナー

小中信幸＋仲谷榮一郎　契約の英語①／国際契約の考え方
272ページ・定価2940円
問題を所在をつかむ ─ 「英文」として読む ─ 「契約書」として読む ─ わかりやすく書く ─ ありのままに訳す ─ よく登場する条文を知る

小中信幸＋仲谷榮一郎　契約の英語②／売買・代理店・ライセンス・合弁
238ページ・定価2940円
国際契約書の平易な例文を素材に、問題点や有利な国際契約を結ぶための交渉方法を、条文ごとにやさしく解説。

岩崎洋一郎＋仲谷榮一郎　交渉の英語①／国際交渉の考え方
216ページ・定価2835円
交渉とは何か ─ 交渉の準備 ─ 交渉の申し入れ ─ ビジネス面の交渉 ─ 契約書をめぐる交渉 ─ 紛争が生じた際の交渉 ─ 難局を切り抜ける交渉術

岩崎洋一郎＋仲谷榮一郎　交渉の英語②／相手を説得する技術
224ページ・定価2835円
本題に入るまで ─ 売買契約 ─ 代理店契約 ─ ライセンス契約 ─ 合弁契約 ─ 契約書をめぐる交渉 ─ クレームの交渉

CD版 別売（各価格2625円）
☆ケース入りセット版（テキスト＋CD＝5460円）もあります

岩崎洋一郎＋仲谷榮一郎　交渉の英語③／難局を切り抜ける技術
220ページ・定価2835円
主張する・提案する ─ 質問する・答える ─ 同意する・反対する ─ 逃げる ─ 非常事態に対応する ─ トリック戦法

▼篠田義明の実用英語シリーズ

篠田義明　国際会議・スピーチに必要な英語表現
224ページ・定価2835円　**CD版 別売**（価格3465円）
出迎え・就任・乾杯・哀悼などの挨拶 ─ 開会・議事進行・閉会など司会や議長の言葉 ─ 提案・質疑など会議中の用語。　☆ケース入りセット版（テキスト＋CD＝6300円）もあります

篠田義明　ネゴシエーション・会議に必要な英語表現
160ページ・定価2625円　**CD版 別売**（価格3465円）
意見や感想を述べる ─ 意向を問う ─ 提案や報告を検討する ─ 議論や質疑を展開させる ─ 会話中によく用いることば。☆ケース入りセット版（テキスト＋CD＝6090円）もあります

篠田義明　パーティー・プレゼンテーションに必要な英語表現
200ページ・定価2625円　**CD版 別売**（価格3465円）
自己紹介・就退任・表彰・創立記念・慶弔儀式 ─ 経営や営業の方針・新商品紹介・販促・調査報告 ─ 発言中にはさむ言葉。☆ケース入りセット版（テキスト＋CD＝6090円）もあります

島村昌孝　「知らなかった」では済まされない監査役の仕事
284ページ・定価3885円
詳しい事例やQ＆Aを豊富に使い監査実務をわかりやすく解説。就任日からすぐに役立つ実践マニュアル。

平松陽一　教育研修プラン推進マニュアル
244ページ・定価2940円
基盤づくりからプログラム作成、展開、実務まで、研修を効果的に進めるためのノウハウをチャートを豊富に使って解説。

平松陽一　教育研修の効果測定と評価のしかた
292ページ・定価2730円
研修の理解度や効果を正しく測定・評価し、次の人材育成や経営成果の向上に生かす方法を詳しく解説。